L'AMOUR
SANS PARTAGE

Georgina GREY

L'AMOUR
SANS PARTAGE

(The Hesitant Heir)

**Roman traduit de l'anglais
par Paule CHOUKROUN
et adapté par l'éditeur**

EDITIONS MONDIALES
2, rue des Italiens — PARIS-9e

ISBN N° 2-7074-3485-X

CHAPITRE PREMIER

— Voilà ce qu'il advient de Napoléon et de son déplorable empire ! déclara *lady* Lucy Mannering, vicomtesse de Trevor, en laissant tomber son journal sur le parquet, juste à côté de la table du petit déjeuner ; puis, tournant son regard vers les grandes fenêtres du jardin d'où l'on pouvait voir le ciel sombre, elle dit :

— Je crois n'avoir jamais vu — autant qu'il m'en souvienne — un temps aussi détestable en juin.

Habituée aux propos incohérents de sa tante, Marianna se servit une autre tasse de thé en attendant qu'une allusion fût faite aussi bien sur la situation politique en Europe que sur les nuages errants au-dessus de Burnham Hall, dans le Berkshire [1].

— C'est le canon, naturellement, annonça Lucy en contenant avec peine son impatience. Regardez toute cette fumée qui se dégage ! D'ailleurs le temps est complètement perturbé ! Cela ressemble bien aux Français de ne pas accorder la moindre pensée aux dommages qu'ils peuvent causer à nos jardins anglais !

---

(1) Comté du sud de l'Angleterre.

Marianna ne chercha pas à cacher son amusement, car sa tante se souciait peu de l'effet que ses commentaires provoquaient sur les autres. Ainsi, Lucy monologuait avec le plus grand sérieux — et fort longtemps — sans s'occuper du rire qu'elle suscitait dans son entourage.

— Vraiment, ma tante, dit la jeune fille d'un ton conciliant, Napoléon est sans doute blâmable sur bien des points, mais il n'a rien à voir avec l'état de nos pelouses.

— C'est tout comme, répliqua la vicomtesse, employant une fois de plus son expression favorite comme dernier argument. De plus, vous devriez, en ce moment même, être à Londres et recevoir vos invitations pour le grand jour ! C'est très mal de la part de votre père de ne pas réaliser que depuis l'an passé, au moins, vous auriez dû être introduite à Saint-James, poursuivit-elle d'une voix doucereuse.

— Je suppose que le temps à Londres doit être aussi déplorable qu'ici, répondit Marianna qui ne résistait pas à la tentation de la taquiner.

— Le temps, ma chère ! Et qu'est-ce que le temps vient faire là-dedans, je voudrais bien le savoir ?

— C'est vous qui avez amené la conversation sur ce sujet, rétorqua malicieusement Marianna.

— Vraiment ? Vous vous trompez, ma chère ; le temps est le dernier de mes soucis. Savez-vous, mon enfant, l'âge que vous aurez ?

— Dix-neuf ans. Je n'y peux rien, les années s'ajoutent les unes aux autres.

— Parfaitement, dix-neuf ans ! Vous avez atteint la fleur de l'âge, ma chère, et vous l'avez même dépassée, me semble-t-il. Vous auriez dû avoir votre « saison » à Londres l'an dernier tandis que vous aviez encore le teint rose.

— Etant donné le temps, dit Marianna en riant, je dirais qu'il pourrait y avoir une abondance de rosée sur mon visage encore un certain temps.

— Pourquoi vous acharnez-vous à revenir sans cesse sur le temps, cela me dépasse, demanda Lucy. Je vous parle d'un mari, c'est une chose tout à fait différente. D'ailleurs, ce n'est pas comme si la présence de votre père à Londres était nécessaire. Je remplis parfaitement mon rôle de chaperon. Cette grande maison à Park Lane est vide. Nous pourrions nous passer de certains serviteurs. Mon frère n'a qu'à rester ici à Burnham Hall avec ses détestables livres ! Vous auriez dû être depuis longtemps introduite auprès des gens de la bonne société... et il le sait fort bien.

Marianna ne s'amusait plus. Que sa tante critiquât les Français en général et Napoléon en particulier, cela n'avait aucune importance, mais il n'en allait plus du tout de même lorsqu'on s'attaquait à la personne que Marianna aimait le plus au monde.

— Vous n'ignorez pas, ma tante, dit-elle fermement, en se levant de table et en tapotant la jupe de mousseline de sa tenue du matin, que papa me laisserait partir pour Londres à l'instant même, si tel était mon désir.

— Alors, vous avez comme lui une tête de bois, déclara *lady* Mannering en avalant le dernier morceau de hareng fumé. Votre père a cet Evans qui l'aide dans ses « recherches », c'est bien le mot, n'est-ce pas ? Tout ce remue-ménage pour de vieilles sculptures sur les clochers des églises et autres choses de ce genre. Quel intérêt cela peut-il présenter pour une fille de votre âge, je voudrais bien le savoir !

— Ma tante ! s'écria Marianna dont la patience était durement éprouvée.

« Il en était toujours ainsi avec Lucy, se dit-elle. On commençait par être amusée et on finissait dans un état voisin de l'exaspération. »

— Si votre chère mère était encore vivante, James ne se serait jamais enterré dans le passé de cette manière-là.

— Mais maman est morte ! répondit Marianna.

— Oui, acquiesça Lucy à contrecœur, et maintenant ce livre, ce *Magnus Opus* est tout pour lui. Je ne songe pas à vous blâmer, ma chère, mais je crains que vous ne l'ayez encouragé dans cette folie.

— Ce n'est pas une folie ! rétorqua Marianna. Quand le livre sera terminé, il apportera une grande contribution à la connaissance de l'art médiéval.

— Mais nous sommes au dix-neuvième siècle ! déclara Lucy et vous n'êtes pas encore fiancée. Vous ! la fille unique de mon frère ! Il devrait s'occuper de votre avenir au lieu...

Lady Mannering s'arrêta car la porte de la salle du petit déjeuner s'ouvrait ; Marianna soupira d'aise que leur tête-à-tête fût interrompu. John Evans était un grand jeune homme élancé, aux cheveux tirant sur le roux et encadrant un visage mince aux pommettes saillantes. Il était venu vivre dans le duché de Burnham Hall quatre mois auparavant, après avoir réussi son examen d'entrée à l'université de Cambridge. Marianna éprouvait pour le jeune homme de l'amitié et de l'admiration pour ses qualités de médiéviste. En outre, il remplissait fort bien le rôle de secrétaire du père de la jeune fille.

Elle n'admirait pas seulement John Evans... elle l'aimait beaucoup également. Ils partageaient le même plaisir pour la lecture et pour la musique. Elle se demandait comment une telle personne pouvait s'isoler, même temporairement, dans les régions désertes du Berkshire ; il lui semblait évident que, s'il l'avait désiré, il serait resté à Cambridge ou bien, comme il l'avait souvent laissé entendre, il aurait pu fonder une école pour les enfants indigents du quartier des chantiers navals de Londres.

Tout cela traversa son esprit tandis qu'elle servait une tasse de thé à John en lui demandant si son père était prêt à les recevoir. Le duc de Worthington avait l'habitude de prendre son petit déjeuner dans sa chambre — puis il les retrouvait dans la bibliothèque à neuf heures pour commencer une longue journée de travail.

— Je crains que Sa Seigneurie ne soit souffrante, répondit le jeune homme. Il insiste cependant pour me donner ses directives sur le travail d'aujourd'hui, aussitôt mon petit déjeuner terminé.

— Les harengs..., commença la vicomtesse.

— Une tasse de thé et une tranche de pain beurré me suffiront, dit John en l'interrompant. Je désire retrouver Sa Seigneurie aussi rapidement que possible, car il ne prendra aucun repos avant que nous n'ayons achevé le travail que nous devons accomplir aujourd'hui.

— Je n'arrive pas à comprendre, murmura

Marianna. Papa n'a jamais eu le moindre ennui de santé.

— C'est la faute du canon, déclara sa tante fermement. Ne vous avais-je pas dit que les Français sont déterminés à tout bouleverser ?

— Cessez vos sornettes, lança Marianna brusquement, oubliant ses bonnes manières. De quoi souffre mon père, monsieur Evans ?

— Il se peut qu'il ait attrapé un refroidissement, répondit le jeune homme. Il a dit qu'on ne devait pas vous alarmer.

— Quelle sottise ! s'écria Marianna en se pressant vers la porte. Je vais le voir tout de suite. Ma tante, veillez à ce qu'un message soit envoyé au docteur Service, au village, immédiatement.

— Je comprends vos sentiments, lui dit John Evans, mais quand j'ai suggéré qu'un médecin vienne le voir, votre père a protesté avec beaucoup de véhémence.

— James a toujours chicané les docteurs, fit remarquer Lucy. Il les appelle des « carabins » et je me souviens, lorsqu'il était enfant, il a eu la colique...

— Dois-je envoyer le message moi-même ? demanda Marianna avec impatience, la main sur la poignée de la porte.

— Taratata ! s'écria sa tante, mais elle s'empressa tout de même d'agiter la sonnette pour appeler la servante.

En dépit de ses jeunes années, Marianna était habituée à donner des ordres et à être obéie, et ce, depuis que sa mère avait succombé à la phtisie, quatre ans auparavant. *Lady* Mannering, veuve depuis peu, n'avait pas hésité à venir s'installer à Burnham Hall, considérant de son devoir de vivre dans la famille de son frère. Si le duc de Worthington était assez satisfait de l'avoir pour tenir compagnie à sa fille, il n'était pas moins conscient de l'incompétence totale de sa sœur dans les domaines pratiques de la vie. N'étant que la veuve d'un vicomte, *lady* Mannering avait laissé les serviteurs la dominer : cependant, elle faisait semblant de croire qu'elle était dorlotée et elle prenait un air enfantin qui n'avait pas échappé à Marianna. La jeune fille, qui souffrait profondément de la disparition de sa mère, n'aurait pas voulu être dirigée par sa tante et, somme toute, l'arrangement avait assez bien marché. On pouvait compter sur Lucy pour distraire son entourage ; pendant ce temps-là Marianna découvrit son penchant inné pour l'organisation.

Les dernières années avaient passé assez joyeusement. Marianna était soucieuse de rendre la vie aussi confortable que possible à son père. Le duc, homme très érudit, avait trouvé un refuge pour échapper à la souffrance de son veuvage en entreprenant une étude sérieuse sur l'architecture de l'Église médiévale. Marianna avait été ravie qu'il l'eût jugée capable de l'assister, au début, dans les tâches simples telles que les commandes des livres. Plus tard, la jugeant apte à comprendre, il lui avait permis de collaborer plus étroitement avec lui. Avec la charge de la maison, elle avait toutes ses journées bien occupées.

L'arrivée de John Evans, il est vrai, n'avait pas plu à Marianna qui était habituée à être la seule compagne de son père, mais elle comprit rapidement que l'assistance d'un véritable érudit procurait au duc un grand plaisir. Ses occupations dans la bibliothèque ne lui ayant pas été retirées, elle ne s'ennuyait pas et elle refusait de considérer sérieusement les efforts de sa tante pour qu'elle se mît sur le rang des jeunes filles à marier.

Il restait à *lady* Mannering à faire ses dolérances ailleurs. Son confident habituel était le valet de chambre de son frère, un gentilhomme d'un certain âge qui avait été au service du duc de Worthington depuis qu'il était jeune homme et qui connaissait les qualités et les faiblesses de son maître mieux qu'un autre.

— James a toujours su devenir le centre du monde pour certaines femmes, disait Lucy. D'abord ce fut notre mère. Il avait toujours été son préféré. Rien de ce qu'il voulait faire ou dire n'était mal à ses yeux. J'imagine que cela explique pourquoi il s'attend à ce que l'on soit constamment aux petits soins pour lui. Quand il a épousé la pauvre Patience, j'ai vu tout de suite comment les choses allaient se passer. C'était une personne agréable qui n'a pas hésité à se laisser cloîtrer à la campagne — elle n'a été à Londres qu'une seule fois durant tout le temps de son mariage. Pourquoi, je me le demande ? Je l'avais pourtant avertie qu'elle risquait de perdre sa personnalité. J'ai toujours pensé, Greyson, vous le savez vien, qu'il n'y a rien de mieux qu'une saison à Londres pour mettre en valeur le caractère d'une *lady*.

— Pas toujours pour le meilleur, *my lady* !

— C'est tout comme, répondit *lady* Mannering. La question est que la pauvre Patience nous a quittés, et mon frère a encouragé Marianna à prendre le rôle de sa mère. En vérité, il a dépassé la mesure en fournissant des livres à l'enfant et en lui parlant des cathédrales ! Vous n'avez pas besoin de sourire, Greyson.

C'est une malchance si ma nièce a une intelligence naturelle qui lui permet de s'intéresser à des choses qui devraient être exclusivement réservées aux hommes. Quelle sera la conséquence de cette folie, je vous le demande ? Elle a été si longtemps la compagne de son père et elle l'admire tellement qu'elle désirera trouver, je le prédis, un mari qui lui ressemble ; ce sera difficile car mon frère est un homme exceptionnellement intelligent.

De tels monologues se poursuivaient souvent très longtemps, mais Greyson était un homme patient qui savait que la vicomtesse n'avait pas de mauvaises intentions. En vérité, l'idée qu'elle pouvait même avoir raison lui traversait parfois l'esprit — tout au moins en ce qui concernait le duc de Worthington qui ne se souciait pas en effet, de monopoliser le temps et les facultés de travail de sa fille. Cependant, Greyson devait reconnaître que Marianna en retirait un grand plaisir. Il n'avait jamais pris la liberté de discuter de la question avec *lady* Mannering, les choses allant bien en l'état actuel à Burnham Hall. A son avis, la venue de John Evans avait été particulièrement opportune, car Sa Seigneurie s'était tout à fait épanouie depuis l'arrivée du jeune homme. Même *lady* Mannering, hostile cependant à tout ce qui concernait le savoir, aimait bien le jeune Evans ; aussi se tourna-t-elle vers lui qui finissait en silence son petit déjeuner.

— Etes-vous d'accord pour que le docteur Service vienne soigner Sa Seigneurie ? lui demanda-t-elle avec une franchise inhabituelle. Je crains d'avoir inquiété Marianna avec mes propos sur les canons. Mais c'est que...

— Je crois que le médecin devrait voir le duc

de Worthington le plus tôt possible, répondit John, désirant éviter toute discussion sur la responsabilité des Français. Sa Seigneurie pense qu'il ne s'agit que d'une légère indigestion, ou d'un commencement de rhume, mais je me suis entretenu avec Greyson en privé durant un instant et je n'ai pas aimé ce que j'ai entendu.

— De grâce, soyez explicite, lui dit Lucy. J'ai bien des défauts, mais je puis vous assurer que je peux tout entendre, même le pire.

Le jeune homme s'approcha de la fenêtre constellée de gouttes de pluie.

— Greyson m'a dit que lorsque le duc de Worthington s'est réveillé à huit heures, il paraissait tout à fait bien, comme à l'accoutumée. Il s'est laissé raser, et soudain, il s'est plié en avant comme sous l'effet d'une violente douleur. Greyson a ajouté que Sa Seigneurie haletait et respirait difficilement ; puis il fut couvert de sueur, tandis que son visage devenait gris. En quelques minutes, l'accès fut terminé et Greyson put le mettre au lit, mais avec beaucoup de ménagement. C'est alors que Sa Seigneurie a parlé d'indigestion... mais il paraît qu'il toussait...

— Son cœur ! s'écria Lucy en étreignant le sien. C'est précisément ce qui arriva à mon cher Arthur. J'étais avec lui à ce moment-là. Juste un instant, et il mourut dans mes bras !

Des larmes sortirent de ses yeux et coulèrent sans retenue sur ses joues. Elle se ressaisit rapidement.

— Et vous m'assurez, n'est-ce pas, qu'il désire votre présence dans sa chambre, aussitôt après votre petit déjeuner, pour recevoir les directives du travail pour la journée ?

— C'est tout à fait exact, lui assura John Evans.
Je n'ai pas menti à votre nièce en lui disant que le duc
était semblable à lui-même quand je l'ai vu. Mais
nous ne devons pas nous cacher la vérité. Comme
vous le suggérez, il s'agit peut-être d'une attaque. Seul
le médecin peut nous rassurer.

CHAPITRE II

Pendant ce temps, Marianna se tenait près du lit de son père, avec Greyson à ses côtés. Le duc de Worthington semblait endormi. Au repos, elle pouvait voir sur son visage des rides profondes qu'elle n'avait jamais remarquées auparavant. Ses cheveux frisés, que ne cachait pas la vieille perruque démodée qu'il portait en temps normal, étaient tout à fait gris. Comme elle le surveillait, une toux rauque le secoua tout entier.

— Oui, murmura la jeune fille en se mettant à genoux près du lit, il vaut mieux que le médecin vienne.

Greyson ne fit aucun effort pour déguiser son soulagement.

— Je suis content que vous l'ayez décidé, mademoiselle, dit-il d'une voix tremblante, si quelque chose arrivait à Sa Seigneurie...

— Il ne lui arrivera rien, dit Marianna sombrement. Je veillerai à ce que tout se passe bien.

La porte s'ouvrit et John Evans pénétra dans la chambre. Ses yeux bruns fixèrent la silhouette immobile sur le lit, et son expression devint sérieuse. Marianna devina immédiatement ce qui se passait dans son esprit : sans aucun doute, il s'attendait à retrouver son père dans l'état où il l'avait laissé. Elle se leva rapidement et, laissant Greyson veiller près du lit, elle attira John de l'autre côté de la grande chambre.

— Il dort, simplement, lui assura-t-elle, mais bien que sa respiration soit tout à fait régulière, je n'aime pas son regard. Croyez-vous que je fais une erreur en appelant le médecin ? car vous savez aussi bien que moi que papa ne sera pas content de trouver le docteur Service ici quand il s'éveillera.

— Je ne vous ai jamais vu faire quelque chose qui lui déplaise, répondit John. Je crois qu'il comprendra votre préoccupation, mais vous ne devez pas vous inquiéter outre mesure. Allons, asseyez-vous sur la banquette, près de la fenêtre, votre visage est tout pâle.

Marianna appréciait toujours les conseils de John et elle se sentait à l'aise avec lui.

— Vous penserez peut-être que je suis excessive, murmura-t-elle, mais il m'est venu à l'esprit — lorsque j'ai vu mon père dans cet état — que je ne pourrais pas supporter la douleur de le perdre.

— C'est une pensée assez naturelle, répondit-il, d'autant plus que vous ne l'avez jamais vu malade auparavant. Mais vous ne devez pas vous laisser envahir par le pessimisme.

— N'ayez aucune inquiétude, j'ai confiance en l'avenir, lui dit Marianna.

Il était assis près d'elle et il vint à l'esprit de Marianna le désir soudain qu'il fût son frère, car alors il n'y aurait aucun mal à ce qu'il mît son bras autour d'elle pour la réconforter.

Comme si la même pensée était venue à l'esprit du jeune homme, il prit la main de Marianna et la tint serrée dans la sienne ; de son autre main, il essuya les joues de la jeune fille avec son propre mouchoir.

— Vous savez, n'est-ce pas que je suis très attaché à votre père ?

Elle acquiesça d'un signe de tête.

— Et il vous le rend bien. Je pense souvent que vous êtes semblable au fils qu'il a dû désirer.

Tout en gardant sa main dans la sienne, John détourna son regard. Marianna vit avec anxiété que son visage s'était figé.

— Vous aurais-je offensé ? murmura-t-elle, surprise.

— Non, dit John. Ce n'est pas cela. En vérité, je ne peux expliquer ma propre réaction. Peut-être est-ce parce que mon père à moi mourut très jeune ?

Marianna réalisa que c'était la première fois qu'il parlait de sa vie personnelle. Bien qu'ils eussent été souvent seuls tous les deux, leur conversation s'était toujours limitée au travail en cours. Elle savait qu'avant d'aller à Cambridge il avait vécu à Londres, car il parlait quelquefois des intolérables conditions de vie des pauvres gens — ce qui expliquait l'intérêt qu'il portait à instruire les fils de dockers. Mais, il ne s'était jamais étendu sur ce sujet — peut-être craignait-il de l'ennuyer ?

— Vous souvenez-vous de votre père ? lui demanda Marianna tout en jetant un regard plein de tendresse sur la silhouette étendue sur le lit. Elle pensa que c'était une chose terrible que d'être privé de l'affection de son père.

— Oui, dit John à voix basse. Je me souviens du moins qu'il riait beaucoup et qu'il avait des cheveux tirant sur le roux comme les miens. Mais ceci est le passé. Ce dont nous devons nous occuper est le présent. A n'importe quel moment, votre père peut se réveiller. Et quand il se réveillera, il doit vous voir sourire.

— Et il le verra, répondit Marianna avec détermination. Mais, je voudrais bien que le docteur Service se presse.

— Nous allons le guetter ensemble, ajouta John, et soudain sa main pressa ses doigts.

Le Dr Service fut rassurant ; cet homme décharné avait, aussi loin qu'on pût s'en souvenir, toujours donné l'impression d'être au bord de la tombe. Il parlait si longuement de repos au lit, de potage au bœuf et autres soins à administrer, que l'ennui même de ses instructions finissait par avoir un effet calmant. Quant à la cause de l'attaque, il suggéra tant de possibilités qu'on en avait le vertige. Il fut seulement précis sur le fait que, la santé du duc de Worthington ayant été excellente durant plus de quinze ans, il allait de soi qu'il jouissait d'une robuste constitution. En tout cas, il ne refusa pas un verre de madère et il repartit dans son vieux tacot, laissant les gens de Burham Hall aussi peu informés qu'avant son arrivée.

Sa visite eut cependant un effet positif : le duc de Worthington fut si fâché qu'on eût fait venir le médecin qu'il se déclara tout à fait bien et que, en quelques jours, il reprit ses habitudes. Comme les jours passaient sans nouveau signe de malaise, Marianna finit par accepter l'idée, que clamait son père, qu'il avait eu une simple indigestion après avoir mangé des crabes qui n'étaient pas de première fraîcheur.

Un fait, cependant, intrigua Marianna sans toutefois la tourmenter. Son père s'entretenait toujours longuement avec John Evans, mais leur conversation s'arrêtait brusquement dès qu'elle entrait dans la bibliothèque. Elle ne comprenait pas la raison de leur attitude : peut-être leur travail était-il parvenu à un stade tellement avancé que sa présence les dérangeait ? Cachant la peine qu'elle en ressentait, elle poursuivit son travail de copie dans la salle du matin, ne les rejoignant que si on l'appelait pour accomplir certaines besognes simples, par exemple rapporter des livres dans la bibliothèque.

Durant les soirées, en revanche, son père se montrait plus soucieux de son bien-être qu'il ne l'était auparavant. Il lui demandait si elle avait passé une bonne journée et la complimentait sur son aptitude à diriger le personnel en parfaite maîtresse de maison. Il avait toujours aimé l'entendre jouer du piano dans le salon, après le dîner, mais maintenant, il s'y intéressait d'une manière nouvelle, notant avec soin les morceaux de musique nouveaux à son répertoire. Au grand étonnement de sa sœur, il alla même jusqu'à accepter de jouer au whist, occupation qu'il avait toujours dédaignée. Lui, qui autrefois évitait de se trouver seul avec Lucy à cause de son bavardage, pressait maintenant Marianna d'aller se promener dans le jardin avec John Evans.

Par une douce soirée de juin, cependant, le duc marchait doucement avec sa fille dans les sentiers gravillonnés où l'air était parfumé par l'odeur des roses.

— Je suppose, ma chère, dit-il gentiment, que vous devez trouver votre vie ici bien souvent morne et inintéressante.

Convaincue que sa tante, en dépit de ses recommandations, avait dû parler de Londres, Marianna protesta immédiatement.

— Mais vous êtes à un âge où une jeune fille est entourée de prétendants, répondit le duc. Vous devriez désirer tomber amoureuse et vous marier, ce serait tout à fait naturel, à mon avis.

— Pour ceux dont les vies sont vides, peut-être, lui dit Marianna, mais je ne me divertirai jamais à Londres autant qu'ici où je suis, chaque jour, entourée de gens que je connais et que j'aime.

La réponse parut le satisfaire, car le duc prit son bras sous le sien, et ils continuèrent leur promenade, en silence, comme deux compagnons, jusqu'au moment où la lune apparut.

En revanche, *lady* Mannering n'était pas si facile à convaincre.

— La saison est avancée, fit-elle remarquer à Marianna, le lendemain après-midi, mais il n'est pas du tout impossible que nous ne puissions encore en profiter, si nous rattrapons le temps perdu, en partant pour Londres dès la semaine prochaine. J'ai parlé à votre père et il n'a formulé aucune objection à ce que la maison de Park Lane soit ouverte.

Marianna resta sur ses positions. Elle ne voulait plus entendre parler de départ pour Londres cette année.

— Peut-être l'an prochain, répondit-elle, uniquement dans le but d'apaiser sa tante.

De fort mauvaise grâce, Lucy consentit à ne pas insister, et Marianna était sur le point de retourner à ses occupations habituelles, quand le maître d'hôtel entra pour les informer que des invités étaient arrivés.

La venue d'invités, quels qu'ils fussent, et surtout à l'improviste, était un événement tellement rare que Marianna en resta muette d'étonnement. Lucy, qui semblait singulièrement peu troublée, ordonna au maître d'hôtel de conduire immédiatement les arrivants au salon et de leur offrir des boissons rafraîchissantes tandis que Marianna et elle-même les rejoindraient au plus tôt. Tout ceci sur un ton de commandement qui lui était inhabituel. Après le départ du maître d'hôtel, Marianna réalisa l'étrange attitude de sa tante, qui n'avait même pas demandé le nom des invités.

— Je crois vraiment que vous savez de qui il s'agit, ma tante, dit Marianna d'un ton accusateur. Allons, dites-le moi immédiatement, quel complot avez-vous tramé ?

— Complot est un mot bien exagéré, rétorqua *lady* Mannering. Je n'ai pas voulu vous inquiéter, ma chère, c'est pourquoi lorsque j'ai reçu une lettre d'Annestonia, peu après la maladie de votre père...

— Annestonia ? Qui est-ce, je vous prie ?

— La marquise douairière de Darby. Elle avait écrit qu'elle était une cousine éloignée du côté de votre mère, dit Lucy en faisant la moue. Sa lettre était des plus charmantes. Je crois cependant que votre père ne peut pas la souffrir.

— Alors que vient-elle faire ici, lança Marianna d'un ton brusque.

— Oh ! naturellement, je ne pensais pas qu'elle viendrait à Burnham Hall, protesta sa tante. Elle a écrit qu'elle avait entendu parler de la maladie de votre père et...

— Et comment a-t-elle fait pour l'apprendre, de grâce ?

— Ce n'est pas moi qui le lui ai dit, affirma Lucy. Je me suis laissé dire qu'elle faisait partie de ces gens qui sont au courant de tout ce qui peut les concerner. Mais c'est une bonne âme, tout à fait consciente de ses responsabilités envers sa famille. Elle a seulement écrit pour dire que si elle pouvait être de quelque utilité...

— Et vous lui avez répondu d'une manière qui laissait croire qu'elle était invitée, dit Marianna d'un ton accusateur. Et cela tout en sachant, comme vous le dites, que mon père ne pouvait pas la souffrir ?

— En vérité, je n'ai rien fait de la sorte, répondit sa tante. J'ai simplement écrit que mon frère était en excellente voie de guérison et que nous étions touchés par sa sollicitude.

— Tout ceci ne constitue pas une invitation, rétorqua Marianna. Et cependant, il semble n'y avoir aucun doute dans votre esprit : la personne qui nous attend au salon, c'est sûrement elle.

— Elle avait bien dit qu'elle et sa petite famille pourraient s'arrêter chez nous pour y passer quelques nuits avant de se rendre dans leur domaine de Hertforshire à Londres, dit Lucy d'une petite voix. Je ne voyais pas le moyen de la détourner de son projet, j'espérais seulement qu'elle changerait d'idée et oublierait.

— Sa petite famille ? Qu'est-ce que cela signifie ?

— Elle n'a mentionné qu'un fils et deux filles, répondit sa tante d'une voix à peine audible.

— Quatre personnes ! s'écria Marianna. Et l'une d'entre elles n'a jamais été autorisée par mon père à franchir le seuil de sa maison !

— Je suis sûre qu'ils sont venus sans arrière-pensée, protesta la vicomtesse. Que pouvons-nous faire sinon les accueillir en espérant que leur séjour sera bref ?

— Que pouvons-nous, vraiment ? murmurait Marianna sombrement, en se dirigeant la première vers le salon.

Si elle avait espéré pouvoir se débarrasser de ces hôtes inattendus, cet espoir se dissipa dès l'instant où elle posa ses yeux sur la marquise : c'était une femme massive, entre deux âges, portant une robe de taffetas rouge qui accentuait son teint noiraud, convenant certainement mieux à un pirate qu'à une femme. Elle se tenait solidement assise dans un fauteuil, comme si elle y avait pris racine. Son bonnet de voyage, surmonté d'une plume d'autruche, était d'une dimension monstrueuse que seul défiait le nez extraordinaire de la dame, un nez fermement planté entre deux yeux noirs étincelants.

Ses premiers mots ne furent pas plus rassurants que son apparence.

— Nos bagages ont été montés à l'étage supé-

rieur, annonça-t-elle d'une voix de baryton. J'ai dit
au maître d'hôtel de nous préparer n'importe quelles
chambres, car nous ne sommes pas exigeants. Et j'ai
donné des ordres pour que du ratafia et des biscuits
nous soient servis. Nous sommes très fatigués par le
voyage, comme vous pouvez l'imaginer. Notre voiture a une excellente suspension, mais je n'ai jamais
vu de telles routes. A propos, vous devez être *lady*
Mannering, et vous cousine Marianna. Laissez-moi
vous présenter mon fils George, et mes filles, Amanda
et Drusilla.

Durant ce petit discours, Sa Grâce pointa un doigt
couvert de bagues pour désigner sa progéniture. Le
jeune homme qu'elle appelait George, *lord* Kenner-
ley, marquis de Darby, s'approcha de Marianna et de
sa tante et les salua avec panache.

— Charmé, dit-il d'une voix haute et scandée,
tandis que Marianna regardait la mère et le fils avec
des yeux horrifiés.

Ce qu'elle voyait était d'autant plus déconcertant
qu'elle était peu au courant du style affecté des
dandys de Londres. Le gilet du marquis était extrava-
gant, brodé audacieusement de bleu et de jaune. Ses
manchettes ruchées lui cachaient presque les mains.
Ses cheveux bruns, coupés à la Brutus, auraient pu lui
donner l'air d'un sénateur romain, s'il n'avait eu les
traits fins et des yeux bleus bordés de longs cils fémi-
nins. Enfin, George avait la peau très claire, et il portait un monocle.

Une chose était certaine : George ne ressemblait
pas à sa mère. Mais les deux filles flanquées à ses côtés
n'avaient pas eu la même chance que lui. L'une avait
hérité du nez et de la corpulence de la marquise,

ensemble peu enviable, tandis que l'autre, avec son teint couleur de boue et ses cheveux du même ton, avait l'apparence d'un pudding de Noël. Les deux jeunes personnes saluèrent en poussant des petits gloussements aigus ; après quoi, elles se retirèrent dans un coin du salon et entamèrent une conversation animée bien que murmurée, en jetant par-dessus leurs épaules des petits regards furtifs vers leur hôtesse.

Pour une fois, Marianna fut reconnaissante à sa tante pour son habileté à entamer sur-le-champ une conversation saugrenue. De toute évidence, il lui était impossible de mettre à exécution le plan, formé hâtivement, de leur faire reprendre la route le soir même. Sous prétexte de s'occuper de boissons rafraîchissantes pour ses hôtes, elle sortit rapidement du salon et, après un moment de réflexion, elle se dirigea vers la bibliothèque pour informer son père et le préparer, si possible, à rencontrer ces invités si indésirables.

CHAPITRE III

— La duchesse de Earnmore vous a bien roulée en vous disant qu'il y aurait un dcuil à Burnham Hall avant la fin de l'année, disait Georges d'un ton maussade à sa mère. Une chose est claire : le duc de Worthington doit être bien portant pour se montrer d'une rudesse aussi déplaisante.

— Il est vrai qu'il semble beaucoup mieux que je m'y attendais, déclara sa mère d'une voix profonde. Mais avec un cœur fragile, on ne sait jamais. Vivant aujourd'hui, mort demain !

La mère et le fils étaient assis l'un en face de l'autre dans le petit salon situé entre leurs chambres à coucher. Tous deux avaient revêtu des robes de chambre, la plus extravagante étant celle de George. Leurs visages, l'un si foncé et l'autre si clair, avaient la même expression de complicité, et ils parlaient à voix basse.

— Mon impression est que le duc n'aura pas de repos tant qu'il ne nous aura pas vus déguerpir de cette maison, dit le jeune homme. Bien qu'il ait essayé de le cacher, il semblait être plus que furieux en entrant au salon. Et pour comble d'humiliation, il nous a dit carrément que nous serions plus à l'aise à l'auberge de la localité pour poursuivre notre voyage vers Londres, demain !

— Cet homme ne s'est pas amélioré depuis que nous nous sommes rencontrés pour la dernière fois, il y a vingt ans, acquiesça Annestonia d'un ton bourru. Et c'était le jour même de son mariage. J'ai fait, par hasard, une remarque sur la robe de mariée de Patience — la pauvre femme n'a jamais eu la moindre élégance, bien qu'elle fût assez jolie. Et, m'ayant entendue, il m'a déclaré sur-le-champ, très claire-ment, qu'il serait satisfait de ne plus jamais me revoir. Mais cela n'a aucune importance.

— Qu'il périsse pour avoir osé vous parler d'une telle façon ! cria George d'une voie aiguë et donnant l'impression de perdre complètement son sang-froid.

— Oh ! nous arrangerons les choses à notre avan-tage, assez facilement, poursuivit sa mère, comme s'il n'avait rien dit. Cet homme n'est pas fou, et quand j'ai déclaré que je commençais à ressentir l'une de mes fameu-ses migraines m'obligeant à l'immobilité totale, il a com-pris mon intention. Rien ne m'empêche de faire durer ma migraine aussi longtemps qu'il me plaira. Il sait fort bien ce que l'on dirait dans le voisinage si l'on apprenait qu'il a forcé une parente malade à quitter sa maison pour une auberge. Oh ! mon cher George, tout se passera bien, j'en suis certaine.

Son fils ne chercha pas à cacher son admiration.

— Vous semblez tout à fait déterminée, lui affirma-t-il. Comment trouvez-vous la fille ? Pour moi, elle n'est qu'une petite provinciale. Et timide, je suppose, car je n'ai pas pu lui tirer un seul mot, quand elle est revenue du salon avec son père. Mais cela est sans importance.

— Naturellement que cela n'a aucune importance ! rétorqua Annestonia. C'est l'unique enfant du duc, et elle sera en possession d'une grande fortune quand il mourra. En ce qui concerne la fille, d'ailleurs, il me plaît bien qu'elle soit aussi simple et provinciale que je l'imaginais. Et il paraît qu'elle n'ira pas à Londres, du moins cette année.

— C'est bien, dit George. Si elle devait être présentée et se joindre aux gens de la bonne société, nous pourrions nous retrouver dans le pétrin. Une saison en ville suffit pour instruire une fille, même la plus gauche qui soit. Et ma cousine n'est pas si mal, elle pourrait même être belle si son visage ne restait pas fermé comme cet après-midi.

— Belle ou pas, aussitôt qu'elle sera introduite dans le monde elle n'aura que trop de demandes en mariage, lui assura sa mère sévèrement. Faites confiance à sa fortune pour cela.

— C'était diablement malin de votre part de penser à venir ici, maman, répondit George. Je suis certain qu'elle était au comble de la joie de rencontrer quelqu'un comme moi — vous avez dû remarquer avec quelle attention elle fixait mes habits. Sans aucun doute, ce sera chose assez facile de l'impressionner. Quels autres hommes a-t-elle connus en dehors de son père, avec sa perruque et ses pantalons, et sa veste tombant sur ses genoux ? Naturellement, il se pourrait qu'elle ait rencontré des fils de familles possédant des domaines dans le voisinage. Je ne connais pas assez bien cette partie du pays. Ce serait ennuyeux si elle avait été introduite dans la bonne société, même provinciale.

— Le duc de Worthington n'a rien fait pour

encourager les contacts avec les jeunes gens de bonne famille de la région, précisa la marquise. J'avais moi-même envisagé cette possibilité et je suis parvenue à obtenir cette information de *lady* Mannering. Quant à dire que Marianna ne voit seulement que son père, ce n'est pas tout à fait exact, car sa tante m'a dit que Sa Seigneurie avait un secrétaire pour l'aider dans une étude, dont je n'ai pas réussi à savoir le sujet.

— Un piètre répétiteur, sans aucun doute, rétorqua George en haussant ses minces épaules. Il n'y a pas de quoi s'inquiéter sur ce point.

— Ni sur aucun autre, si vous agissez précisément comme je vous dirai de le faire, répondit-elle fermement. Maintenant que j'ai un aperçu de la situation, je peux être plus précise dans mes instructions. Vous vous souvenez, je l'espère, du résultat malheureux de vos tentatives pour courtiser *lady* Leticia Fairworthy. Vous êtes un bon fils, George, mais ce fiasco est le résultat d'une trop grande confiance en vous.

— C'est parce que j'avais bu un verre de trop de cet excellent vin de Bordeaux, dit le jeune homme en boudant. De plus, Leticia s'est montrée très hardie à mon égard, et comment pouvais-je savoir que le seul fait de l'embrasser...

— Suivant ce qu'elle a dit à son papa, vous vous êtes jeté sur elle, lança Annestonia en fronçant les sourcils. Mais nous n'allons pas parler de cela maintenant. Nous en avons assez dit à ce sujet. Je désirais seulement vous rappeler que dans ce genre d'affaire, je suis le meilleur juge. Si votre père n'avait pas jugé bon de m'écarter des questions de finance, nous ne nous trouverions pas ruinés aujourd'hui. Vous devez faire un mariage d'argent, et le plus rapidement possible.

— Mais si la santé du duc de Worthington n'est pas aussi précaire que nous le pensons ?

— Il fera un contrat généreux, j'en suis sûre, déclara sa mère, puisque d'après sa sœur, il est entièrement dévoué à sa fille. De plus, de telles questions seront réglées entre lui et moi — s'il venait à survivre. Quant à vous, votre seule préoccupation sera de gagner l'attachement de la fille, et voilà comment procéder.

Tandis que George écoutait attentivement sa mère, leur hôte était assis seul, dans la bibliothèque, absorbé dans ses pensées. Le duc de Worthington avait pris un soin infini pour préserver son mode de vie, et il ne supportait pas facilement les intrusions. Ceux qui vivaient près de lui ne connaissaient que le côté aimable de son caractère, car il était rare que les choses n'allassent pas exactement comme il le désirait. Il avait eu la chance de n'avoir qu'un seul enfant qui l'aimait et qui avait toujours satisfait ses moindres désirs. *Lady* Mannering avait cependant tout à fait raison quand elle disait à Greyson que son frère était un égocentrique-né.

Bien qu'il eût réussi à se maîtriser durant la brève entrevue avec ses invités indésirables, il bouillonnait intérieurement, tout en cherchant le moyen de mettre la marquise et ses enfants à la porte, le plus rapidement possible. Il ne se faisait pas d'illusion et il savait qu'il avait à affronter un redoutable adversaire. Une migraine n'était pas facile à diagnostiquer ; aussi était-il inutile d'appeler le Dr Service pour déjouer sa ruse. S'il avait été seul en jeu, il n'aurait eu aucun scrupule à envoyer la marquise dans une auberge, malade ou non. Mais il savait que Marianna se considérait comme la maîtresse de maison de Burnham Hall — et elle avait tous les droits de le penser — et qu'il ne pouvait se permettre de mettre en jeu sa réputation.

Cependant, il n'était pas tolérable qu'une pareille femme imposât sa présence. Le duc de Worthington connaissait la vie, même s'il avait fort peu de contacts extérieurs, et il était certain d'avoir deviné ce qui avait amené cette femme chez lui. Sans aucun doute, elle avait entendu parler de la récente maladie et, pensant qu'il n'avait plus longtemps à vivre, elle avait projeté de marier Marianna et son fils.

— Sacré gibier de potence ! s'écria-t-il avant de se ressaisir et de se promettre de ne pas s'énerver. Cela lui ferait du mal de céder à sa colère, à cet instant ! Une chose était certaine, il ne descendrait pas dîner ni ce jour ni les jours suivants, aussi longtemps que cette femme demeurerait sous son toit. Un plateau dans sa chambre suffirait. Certes, Marianna s'inquiéterait d'une telle attitude, même si leurs hôtes lui paraissaient aussi détestables qu'à lui-même. Mais il ne pouvait pas risquer une autre rencontre de peur de succomber de rage.

Et cependant — il donna un coup de poing sur le bureau — une autre pensée lui vint à l'esprit. S'il ne paraissait pas, au moins aux repas, il se pourrait qu'on le crût malade. Il devinait que la marquise était bien capable d'interpréter cela comme un signe d'encouragement, ce qu'il ne saurait admettre. De

plus, et bien qu'il fît confiance au bon sens de
Marianna, il se pourrait qu'elle s'entichât de ce *dandy*
écervelé, et il devait l'en empêcher à tout prix. Le duc
de Worthington était tout à fait certain que la simple
comparaison avec John Evans serait suffisante pour
démontrer à Marianna que George n'était qu'un sot
prétentieux, mais il préférait être présent pour le lui
prouver.

Et cependant quelle irritation ressentirait-il à la
seule pensée de passer même un instant en compagnie
de cette femme ! Il pouvait seulement espérer, qu'en
raison de sa douloureuse migraine, elle se confinerait
dans sa chambre. Dans ce cas, il n'aurait pas besoin
de se cacher s'il n'y avait que George et ses têtes de
linottes de sœurs en face de lui. Il pourrait faire comprendre qu'aucune possibilité d'alliance ne serait
jamais envisagée. Il devinait que le jeune homme était
complètement sous l'emprise de sa mère et que, si la
vieille intrigante continuait à se prétendre malade, il
pourrait rapidement trouver une occasion de dire ses
quatre vérités à son fils, et de lui faire comprendre
qu'il perdait son temps.

Annestonia avait jugé plus sage, malgré sa préten-
due migraine, de descendre tout de même pour le
dîner. Dire que la conversation fut générale, ce serait
altérer la vérité au-delà de toute expression, car le duc
demeura tout à fait silencieux, arborant un visage gla-
cial. George, suivant les ordres de sa mère, essayait
d'éblouir Marianna, comme un homme du monde,
bavardant allègrement d'une voix aiguë, vantant les
charmes de Londres, en saison, agrémentant son
monologue de « on-dit » à propos de la bonne société
dont chaque membre, apparemment, était un ami très

proche. De temps en temps, il s'interrompait pour louer l'excellence du repas, sa mère lui ayant suggéré de complimenter Marianna à chaque occasion : il était « charmé » par le potage, il aimait « excessivement » le homard et il « s'extasiait » devant le veau. Quand George déclara être « transporté » par le vin, le duc de Worthington grommela entre ses dents... mais il put se maîtriser à temps en remarquant le coup d'œil échangé entre John et Marianna qui, de toute évidence, avaient du mal à ne pas éclater de rire. Quant à Amanda et Drusella, elles ne cessèrent de s'agiter, amusées par les sottises qu'elles échangeaient.

Lorsque les dames se retirèrent, il y eut quelques minutes embarrassantes, tandis que l'on versait du porto dans les verres. John Evans fit un vaillant effort pour détendre l'atmosphère en engageant George à parler de la dernière pièce de théâtre qu'il avait vue. Mais le jeune *gentleman* ne semblait pas priser les choses culturelles, et il paraissait tout à fait dérouté par les références à Shakespeare ou Sheridan, aussi enchaînait-il sur la dernière réception mondaine à Almack.

— Alors, vous serez content d'être à Londres demain, monsieur, déclara le duc, parlant pour la première fois.

— Je crains que l'état de santé de ma mère ne le permette pas, répondit George, assez aisément, car il s'était préparé à cette question. Et vraiment, j'avoue mon empressement à demeurer un peu ici. Le pays paraît tout à fait ravissant, Votre Seigneurie, et j'espère que notre charmante hôtesse acceptera de monter à cheval avec moi, demain, pour m'en faire découvrir les beautés.

Le visage du duc de Worthington devint dangereusement écarlate.

— Ma fille, monsieur, a trop d'occupations pour jouer au guide, répondit-il, même si j'étais assez fou pour la laisser se promener à cheval avec un étranger.

— Mais, Marianna et moi, nous sommes cousins, Votre Seigneurie, lui rappela George en poussant sa chaise vers la jeune fille. Il se rendit compte alors qu'il était allé trop loin, et qu'il avait oublié l'ordre formel de sa mère de converser avec leur hôte le moins possible.

Le duc de Worthington se leva, le visage contracté de colère.

— Vous direz à votre mère, monsieur, que je compte sur sa complète guérison, demain à dix heures. Votre voiture vous attendra devant la porte ! Il se peut qu'elle soit sans scrupules, mais je ne la crois pas stupide pour autant, et vous pourrez l'informer qu'elle perd son temps et le vôtre en demeurant ici. Elle s'imagine pouvoir me berner, mais je veux bien être pendu si...

Il s'arrêta brusquement et il s'agrippa à la table avec une telle force que la carafe de porto bascula.

— Mes pantalons ! cria George, tandis que le vin se répandait sur lui.

— Au diable, vos pantalons ! s'écria John Evans, tandis que le duc de Worthington tombait sans connaissance sur le sol.

— Appelez le médecin ! Dépêchez-vous, idiot ! Dépêchez-vous ! criait le secrétaire.

Il s'agenouilla, prit la tête du duc dans ses bras, et il venait juste de lui desserrer le col de sa chemise, quand il vit qu'il était déjà trop tard.

CHAPITRE IV

— Le problème maintenant serait assez simple sans cet Evans, déclara Annestonia avec une satisfaction profonde ; et, se tournant vers le trumeau, elle posa son bonnet plus fermement sur ses boucles, de ses mains gantées de noir.

— Qu'est-ce que cela signifie, maman ? dit George qui s'était contenté d'enrouler une bande noire autour de la manche gauche d'un manteau très raffiné, du gris le plus tendre, et une autre autour du bord de son chapeau en poil de castor. Que représente cet Evans ? Ce type-là n'est pas plus qu'un serviteur ! continua-t-il.

— Vous avez dû être aveugle ces trois derniers jours si vous n'avez pas remarqué que Marianna semblait dans sa totale dépendance, répondit-elle d'un ton hargneux. George, ne pouvez-vous pas vous arrêter d'aller et de venir ? Il ne reste plus qu'un quart d'heure avant que nous partions pour l'église.

Il y avait vraiment une bonne raison pour Sa Grâce d'être inquiète car Marianna ne s'était pas seulement tournée vers Evans dans les premières heures de son deuil, mais elle avait continué dans les jours qui suivirent. Il est vrai que *lady* Mannering avait été incapable de réconforter sa nièce durant cette première nuit terrible. La voyant en pleine crise de nerfs, le médecin avait dû la traiter de la manière la plus efficace possible ; il lui administra une grande quantité de calmant, ce qui eut pour résultat de la plonger dans un état comateux jusqu'au lendemain après-midi.

Quant à Marianna, elle avait refusé toute médication, y compris les sels, et elle s'était retirée dans la bibliothèque en compagnie de John, comme si, en restant là, simplement, dans cette pièce qu'elle associait à son père de la manière la plus frappante, elle le conservait en vie. C'est ainsi que John demeura près d'elle jusqu'aux petites heures du matin, l'apaisant du mieux qu'il le put, ses yeux bruns la fixant intensément. Il réalisait que les larmes seraient longues à venir, et qu'elle avait un immense besoin de réconfort.

Le regard perdu dans l'espace elle lui avait demandé comment c'était arrivé. Il ne lui dit pas plus que le nécessaire : son père s'était soudainement écroulé. Ce fut fini en un instant. Il n'avait probablement pas souffert. Quelque chose le retint de lui signaler que c'était George qui avait mis le duc dans une rage folle ; Evans ne voyait pas à quoi cela servirait de lancer cette accusation. Il croyait qu'elle souffrirait davantage si elle pensait que la catastrophe aurait pu être évitée. Son père était mort, rien de ce qu'il pourrait dire ne le ferait revenir. Et, sûrement la certitude qu'il s'était éteint calmement l'aiderait à surmonter son chagrin.

John ne s'inquiétait que de Marianna. Ce fut un

grand soulagement pour lui quand, finalement, à deux heures du matin, elle éclata en sanglots. Il eut la sagesse, que peu d'hommes ont, de la laisser exprimer sa douleur aussi violemment qu'elle le pouvait. S'agenouillant près d'elle, il entoura de ses deux bras son corps svelte secoué de sanglots et, quand enfin elle fut plus calme, il sonna, demanda du lait chaud et l'encouragea à le boire par petites gorgées, avec autant de sollicitude que si elle avait été un enfant. C'est seulement quand elle fut un peu apaisée qu'il la laissa aux soins de sa femme de chambre, en demandant à cette dernière de s'asseoir près du lit de sa maîtresse jusqu'au matin, sans oublier de l'alerter si elle avait à nouveau besoin d'assistance.

Annestonia avait naturellement offert ses services dès que la nouvelle lui fut annoncée, mais John l'assura, avec une déférence qu'il était loin de ressentir, qu'il serait préférable pour elle et les siens de rester dans leurs chambres.

Au terme de cette nuit sans sommeil, le jeune homme s'inquiétait en pensant que Marianna allait être de plus en plus bouleversée par la présence de ces invités indésirables, et il cherchait un moyen permettant à Marianna de les éviter. Il ne se faisait pas d'illusion, sachant bien qu'ils ne quitteraient pas volontairement Burnham Hall... avant la fin des obsèques, au moins.

Ses craintes furent sans objet car, le matin, Marianna, très pâle et habillée sobrement de noir descendit et traversa le salon du petit déjeuner où Annestonia et ses enfants étaient autour de la table, sans avoir l'air de remarquer leur présence. Suivant la jeune fille dans la bibliothèque et s'empressant de fermer la porte derrière eux, John se demanda si, vraisemblablement, elle n'avait ni vu ni entendu ses cousins, tant elle paraissait perdue dans ses pensées.

Pendant un long moment, elle s'assit près du bureau, caressant le dos du fauteuil tournant de son père. John ne fit rien pour troubler sa méditation. Il n'était même pas certain qu'elle se rendît compte de sa présence dans la pièce jusqu'à ce que, finalement, Marianna se retournât et lui tendît la main.

— Merci, dit-elle à voix basse, vous avez été la bonté même. Et maintenant... et maintenant, il faudrait que nous prenions des dispositions pour les funérailles.

Ils en discutèrent et, bien qu'il fût évident que chaque mot qu'elle prononçait la chagrinait, Marianna ne se troubla pas une seule fois quand elle fit face aux questions d'ordre pratique ; les faire-part furent écrits de la main ferme de Marianna et donnés par John au laquais qui attendait derrière la porte de la bibliothèque.

A mesure que la journée avançait, elle parut reprendre des forces, bien qu'elle refusât de manger. Quand on lui apprit que sa tante s'était enfin réveillée, mais dans un triste état, elle insista pour se rendre chez la vieille dame. John ne la revit plus de la journée.

Le lendemain matin, le ciel était lumineux et ensoleillé ; John et Marianna se rencontrèrent, comme de coutume, dans la bibliothèque, la jeune fille suggéra de marcher un peu dans le jardin. C'est là qu'elle lui exposa d'une voix ferme ses intentions pour l'avenir. Le livre de son père devait être achevé, et elle comptait sur John pour l'aider à mener à bien cette tâche. Sa tante avait été assez folle pour lui suggérer de changer de décor, une station balnéaire, par exemple, où elle pourrait reprendre ses esprits.

— Mais je ne demande qu'à demeurer toujours dans cette maison, afirma la jeune fille. Je suis consciente de n'avoir aucun droit sur vous, mais mon père vous aimait et je vous aime aussi. Je pense à vous comme si vous étiez mon frère, John ; ensemble nous pourrions achever le travail de mon père.

Elle ne lui demanda pas de promesse, peut-être parce qu'elle pensait que ce n'était pas nécessaire, et elle avoua qu'elle était fatiguée, ce qui était normal, et qu'elle allait se retirer dans sa chambre.

Sa tante, elle, eut une entrevue avec John qu'elle avait fait mander au salon.

— Cela ne va pas du tout, monsieur Evans, lui dit-elle.

Elle était tout à fait tranquille, ayant envoyé Annestonia et sa progéniture se promener, dans le cabriolet, pour la journée, en leur assurant que rien ne leur ferait autant de bien que le bon air de la campagne. Elle avait ajouté, pour les inciter à partir qu'elle ne voulait pas que Marianna fût troublée par un entretien quel qu'il fût, avant les funérailles.

— Vous comprenez, naturellement, continua-t-elle, ce que ma nièce devrait faire.

— Veuillez m'éclairer, *my lady*.

Lucy lança à John Evans un coup d'œil pénétrant. Il était pour elle une énigme. Son allure altière ne còrrespondait pas avec l'idée qu'elle se faisait d'un étu-

diant. Ce n'était pas seulement parce qu'il était beau
garçon, mais il y avait une certaine classe chez lui —
peut-être sa force de caractère ? Une certaine impatience aussi, qui l'avait toujours mise sur ses gardes. Il
n'avait jamais été discourtois à son égard mais, en cet
instant, elle se demandait s'il ne se moquait pas d'elle.

— J'imagine que vous n'avez pas besoin d'éclair-
cissement, dit-elle d'un air pincé. Marianna ressent
terriblement la mort de son père. Vous êtes-là. Elle
m'a déjà dit qu'elle désirait que vous l'aidiez à terminer le livre. Mon esprit, monsieur, est quelquefois
confus, mais jamais lorsqu'il s'agit de choses importantes. A mon avis, il vaudrait mieux que vous quittiez Burnham Hall.

John Evans, debout devant elle, baissa la tête ; elle
vit dans ses yeux noirs une lueur d'amusement, ou
d'intérêt, elle ne savait exactement.

— Parlons franchement, *my lady*, répondit-il.
Vous avez peur, n'est-ce pas, qu'en restant je prenne
dans le cœur de Marianna la place de son père ?

Lucy secoua vivement sa tête, jusqu'à en dérouler
ses boucles.

— En vérité, je ne pense rien de la sorte, déclara-
t-elle. Si vous étiez un homme plus âgé, peut-être
serait-ce exact ? Mais ma nièce est une jeune fille sen-
sible. Et vous, un jeune et beau garçon. On n'a pas
besoin d'être sorcier pour imaginer ce qui pourrait
arriver si vous étiez le seul compagnon de Marianna,
en ce moment si particulier où elle est obligée de s'isoler. L'an prochain, naturellement, il n'en sera pas du
tout de même. Une fois que Marianna sera introduite
dans le monde...

— Alors, naturellement, elle ne pourra pas aimer

un homme comme moi, dit-il avec un sourire crispé.

— Je suis sûre que vous êtes un jeune homme admirable, précisa Lucy, en avançant son menton, et intelligent également. Mais nous parlons de la fille d'un duc et...

— Et d'un étudiant pauvre, lui suggéra-t-il, comme elle cherchait les mots appropriés.

— A votre gré, monsieur.

— Tout ce que vous dites est tout à fait vrai, naturellement, répondit-il d'une voix basse avec cet étrange sourire qui retroussait ses lèvres. Mais Marianna serait sérieusement contrariée si je lui disais que je dois partir. Elle voudrait en connaître la raison.

— Oh ! vous pourrez inventer quelque chose ! répliqua Lucy impatiemment.

— Mais, si je refusais de partir, qu'adviendrait-il ?

Lucy ferma son éventail d'un coup sec.

— Alors, je saurais que vous n'êtes qu'un lâche, monsieur, lança-t-elle de sa voix grêle. Je veux que vous partiez. Il m'en coûte beaucoup, mais le cœur de Marianna doit être libre jusqu'à ce qu'elle sorte de son deuil. Elle doit avoir une chance de voir le monde. De faire des choix. Je ne suis pas très fortunée, monsieur Evans, mon mari m'a laissé peu de biens, mais je suis prête à être très généreuse envers vous dès que j'aurai votre parole de quitter cette maison.

Relevant la tête, elle retint son souffle en voyant l'expression du visage du jeune homme.

— Je vous ai laissée parler ainsi, *my lady*, dit-il à voix basse, parce que je connaissais votre opinion à mon égard. Il est inutile de me regarder comme vous le faites. J'ai été insulté par vous, mais je ne suis pas assez pleutre pour m'en prendre à une *lady* — vous devez le savoir. Je ne cède pas non plus au chantage, même si vous pensez le contraire. Vous pouvez cependant être assurée que je ferai ce qui sera le mieux pour Marianna.

Sur ces mots, il sortit de la pièce d'un pas ferme, laissant Lucy étonnée, comme si elle venait de rencontrer un inconnu.

Pas un mot de leur conversation ne parvint aux oreilles de George qui, cependant, dans une autre pièce faisait exactement écho aux déclarations de Lucy.

— Il se peut que Marianna ait eu besoin de cet individu ces jours derniers, dit-il à sa mère, mais le travail d'Evans est terminé maintenant, et il est évident que ma cousine doit trouver une consolation ailleurs.

Il prit un air avantageux en parlant, et la duchesse lui lança un regard courroucé.

— Libre à vous de penser ainsi, mais il en va tout autrement, déclara-t-elle. Non, la meilleure solution serait de discréditer le jeune bibliothécaire. Laissez-moi réfléchir, mon garçon. Nous devons nous servir des événements comme ils se présentent et les tourner à notre avantage, maintenant. Allez chercher vos sœurs et assurez-vous qu'elles ont pris des mouchoirs. Les voitures sont déjà devant la porte.

Et c'est ainsi que le duc de Worthington fut emporté pour reposer dans le caveau de famille — que son grand-père avait fait construire tant d'années auparavant, dans le village même. Durant la simple cérémonie, Marianna se tint droite entre sa tante et John Evans. Plus tard, tous les deux réussirent à protéger Marianna de toute rencontre avec Annestonia — mais cette intrépide dame fonça sur eux au cimetière où Marianna recevait, avec reconnaissance, les condoléances des nombreux habitants de la localité qui tenaient son père en haute estime.

La lecture du testament devait avoir lieu ce même après-midi, dans la salle de réception. Monsieur Cavidor, le notaire de la famille, était venu de Londres dans ce but. Lucy fronça les sourcils de mécontentement en voyant qu'Annestonia et son fils avaient jugé utile d'y assister, mais Marianna haussa les épaules, comme si cela n'avait aucune importance. Elle demanda seulement que la lecture ne fût pas commencée avant l'arrivée de John — car elle était certaine que son père ne l'avait pas oublié dans son testament.

En conséquence, un des laquais fut envoyé quérir le jeune homme dans sa chambre ; il revint quelques minutes plus tard en expliquant à voix basse que, quelques instants après les funérailles, le secrétaire avait quitté la maison sur le même cheval qui l'avait amené quatre mois auparavant, et qu'il avait emporté avec lui toutes ses affaires personnelles.

Manifestement bouleversée, Marianna transmit à voix haute la nouvelle à sa tante. Celle-ci lui assura qu'elle croyait comprendre la cause de ce départ soudain et qu'elle le lui expliquerait en détail quand elles seraient seules, mais la jeune fille n'en fut pas calmée pour autant.

— Assurément, cela n'a pas été une surprise pour

moi, ma chère, déclara Annestonia, en s'avançant vers la jeune fille tout en faisant tinter ses colliers de perles. Je l'ai moi-même vu partir de ma fenêtre, il y a moins d'une heure, et l'idée m'est venue — qu'il n'est pas parti les mains vides.

— Que voulez-vous insinuer par là, je vous prie ? demanda Marianna, les yeux étincelants. Quel est le fond de votre pensée, madame ?

— Il vous a laissée tomber, c'est clair, annonça George, d'une voix aussi stridente que triomphante.

— Comment pouvez-vous, comment osez-vous le traiter de voleur ? s'écria Marianna. Il a dû laisser un message expliquant son départ, j'en suis sûre. Mais où ? Il doit être dans la bibliothèque !

Avant que quelqu'un ne pût l'arrêter, Marianna sortit de la pièce précipitamment. Monsieur Cavidor, manifestement intrigué par cette interruption, remit ses papiers en ordre tandis que Lucy serrait ses mains sur sa poitrine et qu'Annestonia empêchait George de courir après sa cousine. Un court moment passa, et la jeune fille réapparut, avec un visage livide.

— Les papiers de père, murmura-t-elle en s'appuyant contre le chambranle de la porte. Ils ont disparu ! Toutes ses notes. Tout a disparu !

CHAPITRE V

Il n'était plus question de procéder à la lecture du testament, car Marianna, malgré ses efforts pour se contrôler, était très éprouvée. Lucy ne protesta pas quand George installa Marianna dans un fauteuil confortable. Elle était, si l'on peut dire, encore plus bouleversée que sa nièce, car elle se rendait compte que, si elle n'avait pas imposé si formellement à John Evans la nécessité de quitter les lieux, il serait encore là et les papiers aussi. Il lui était difficile de le juger ; certainement, l'achèvement du livre devait avoir une très grande importance pour lui... aussi avait-il reçu un terrible choc en apprenant qu'il ne pourrait pas rester à Burnham Hall. Un choc si grand, en fait, qu'il n'avait pas pu s'empêcher d'emporter les notes et autres papiers, en partant. Après tout, se dit Lucy, que savait-elle de lui sinon qu'il était un étudiant brillant ? Son propre mari avait bien été un joueur distingué et, elle ne le savait que trop, il préférait tricher avec élégance plutôt que de se laisser battre. Sans aucun doute, la notion de bien et de mal avait dû se perdre dans l'esprit de John Evans quand il s'était trouvé face à l'obligation d'abandonner un travail de tant de mois. Ce n'était évidemment pas le moment d'en parler à Marianna, puisque Annestonia avait pris la situation d'une main de fer.

— Les papiers dont vous parlez, mon enfant, disait la marquise de sa voix grave, étaient-ils d'une si grande valeur ? Allons, n'ayez pas peur de me répondre.

Marianna leva la tête, la fixa, médusée et répondit à voix basse :

— Mon, mon père préparait un livre sur l'architecture médiévale. Quatre années de recherches.

— Ses propres recherches ? demanda la marquise.

— Mais naturellement, il s'agit de ses propres recherches, dit Marianna en se mordant les lèvres. De qui d'autre...

— Vous devez comprendre que, ne sachant rien à ce sujet, ajouta Annestonia plus doucement, je souhaite mieux connaître les faits afin de pouvoir vous aider. Je n'ai aucune idée du rôle d'Evans, ni en quoi consistait son travail.

— Un travail considérable a été accompli par lui durant ces derniers mois, répondit Marianna.

— Mais, a-t-il jamais été mis en question que le livre fût le fruit des seuls efforts de votre père ?

— Je pense que, s'il avait pu le terminer, mon père aurait sûrement cité John comme ayant collaboré avec lui. Il lui a apporté une telle assistance ! En fait, mon père disait souvent qu'il n'aurait pas pu continuer ses recherches sans l'aide efficace de John car, sur certains sujets, il ne se sentait pas tout à fait sûr de lui.

— Ah ! il ne l'avait pas terminé, n'est-ce pas ? demanda Annestonia avec son habituel manque de délicatesse. Sans doute, Evans a dû être vexé quand

on lui a signifié que ses services n'étaient plus nécessaires.

— Rien de semblable n'a été dit à John ! protesta
Marianna. Hier encore, je lui ai proposé de rester
jusqu'à ce que le manuscrit soit terminé.

La marquise leva ses épais sourcils et dit :

— C'était très généreux de votre part, ma chère.

— Non, pas généreux du tout ! C'est exactement
de ce que mon père aurait désiré. Comme vraiment je
le désirais moi-même !

— Il semble évident que cela n'a pas satisfait le
jeune homme, insista Annestonia. Il vous a traitée
piètrement, mon enfant. Vous devez affronter le fait,
aussi déplaisant soit-il.

— Mais il n'y a aucune raison ! s'écria Marianna.
J'étais tout à fait disposée à l'aider, exactement
comme j'aidais mon père.

— Il est possible que la tentation de voir le livre
paraître sous son seul nom ait été la plus forte, dit la
marquise fermement. Car, retenez bien ce que je vous
dis, c'est ce qui arrivera. Je connais le monde mieux
que vous, ma chère. Suffisamment bien pour juger
qu'il n'y a pas de limite à l'ambition de certains hommes. Votre père travaillait à son livre avant qu'Evans
vienne l'aider, n'est-ce pas ?

Marianna inclina la tête en signe d'assentiment.

— Alors vous seule savez quelle est la réelle parti-
cipation de votre père à cet ouvrage et celle de ce
jeune... malappris ?

— Je ne permettrai pas qu'on traite John de ce
nom, s'écria Marianna en se levant.

— On fera échouer son plan, n'ayez crainte !
lança George d'une voix perçante. Ce qu'il faut,

avant tout, c'est mettre tout en œuvre pour l'empêcher de publier le livre. Le prendre sur le fait. Maintenant, il n'est pas nécessaire d'envoyer une patrouille à
sa recherche, car il peut avoir pris n'importe quelle
direction, et il a une bonne avance de deux heures. Le
mieux à faire serait que je prévienne un officier de
police à Londres, disons un expert dans la matière, ne
pensez-vous pas ? Je veux bien être pendu si je ne
trouve pas à qui m'adresser. Venez, je vais envoyer
une note immédiatement pour qu'on retrouve la trace
de cette canaille. Dire qu'il ait pu vous berner de cette
manière !

— Oh ! arrêtez, arrêtez ! s'écria Marianna — et
elle quitta la pièce en courant, son mouchoir de dentelle noire plaqué sur le visage.

Elle avait besoin, plus que tout, d'être seule, car ce
choc, venant tout juste après celui de la mort de son
père, était plus qu'elle ne pouvait endurer. C'est dans
ce but qu'elle renvoya sa femme de chambre avant de
tourner la clef dans la serrure.

Lorsque sa tante vint frapper à la porte,
Marianna, réussissant à parler posément, lui dit
qu'elle désirait être seule quelques instants, et lui
demanda d'informer M. Cavidor qu'elle ne le ferait
pas attendre longtemps.

Elle respecta sa parole. Durant dix minutes, elle
s'abandonna à sa douleur, puis, se ressaisissant, elle
essuya ses larmes. Elle n'avait plus qu'à arranger ses
boucles et, c'est en s'asseyant devant la petite table de
toilette, près de la fenêtre, qu'elle vit un pli sous sa
boîte à bijoux. Ses mains tremblaient en décachetant

la lettre, car avant même de lire la signature, elle savait que le message venait de John :

Chère amie, avait-il écrit *je ne peux pas quitter Burnham Hall sans vous dire combien mon séjour ici a compté pour moi. Ce fut un grand honneur de travailler avec votre père, et personne n'aurait pu être plus aimable pour moi que vous le fûtes. En vérité, comme vous l'avez dit, nous nous considérions comme frère et sœur. Mais nous ne le sommes pas, naturellement. C'est pour cette raison que je ne peux demeurer ici. Je vous souhaite pour l'avenir tout le bonheur possible et je prends la liberté de vous encourager à reprendre la vie comme votre père l'aurait voulu. Ce qu'il aurait désiré, soyez-en assurée, c'est que, comme lui, vous fassiez les choses par amour. Quelle que soit la situation, laissez les conditions matérielles au second rang dans votre esprit. Je sais que vous me pardonnerez de vous écrire d'une manière aussi personnelle. Adressez mes compliments à votre tante, et souvenez-vous toujours que je ne souhaite rien de plus au monde que votre bonheur.*

La première réaction de Marianna fut celle de la gratitude : il n'était pas parti sans un mot... Mais comment pouvait-il lui adresser ses vœux de bonheur ? N'était-il pas parti contre son désir formel ? Ne s'était-elle pas fait comprendre, lors de leur entretien dans le jardin ? Ne lui avait-il pas pris le plus cher héritage que son père lui avait laissé ?

Reposant la lettre, elle pressa ses doigts sur son front. « Tout cela devait avoir une signification, mais comment se faisait-il qu'elle ne parvînt pas à comprendre ? Cela signifiait-il qu'il avait l'intention de finir le livre, puis de le lui retourner comme un pré-

sent ? Croyait-il qu'elle se fatiguerait trop en continuant d'y travailler seule ? » Oh ! comme elle aurait
voulu croire à la véracité de cette hypothèse ! Pourtant, si tel avait été son motif, il en aurait parlé ouver-
tement dans son message; ou alors, peut-être avait-il
supposé qu'elle comprenait ? Oui, c'est ce qu'elle
croyait. C'est ce qu'elle devait croire ! Repliant la
note, elle la glissa dans son réticule et elle descendit
rapidement les escaliers.

Ils l'attendaient tous, et notamment le notaire,
impatient de commencer. La marquise prit la liberté
de dire à la jeune fille combien elle était contente de
voir qu'elle avait retrouvé son calme. George fit quelques tentatives pour parler à nouveau de l'officier de
police, mais Marianna ne l'écouta pas et, s'asseyant
près de sa tante, elle réussit à lui faire un petit sourire
pour la rassurer.

Monsieur Cavidor commença immédiatement à
lire, mais peut-être à cause de la technicité du langage,
ou du fait que le notaire s'arrêtait constamment pour
ajuster ses lunettes, ou peut-être simplement parce
qu'elle était perturbée, Marianna n'arrivait pas à le
comprendre.

— Peut-être, dit-elle à voix basse au moment où il
s'arrêtait pour aborder la seconde page du document,
pourriez-vous nous faire la faveur, à ma tante et à
moi-même, de nous dire tout simplement quels ont été
les désirs de mon père.

— C'est tout à fait possible, *my lady*, répondit
M. Cavidor.

En vérité, beaucoup de nos clients préfèrent qu'il

en soit ainsi. Je vous laisserai une copie du testament, de toute façon, afin que vous puissiez le lire plus attentivement, bien que je sois sûr que le duc avait dû vous mettre au courant de son contenu.

— Non, fit Marianna d'une petite voix, mais il l'aurait fait sans aucun doute, si sa santé lui avait donné des inquiétudes.

— Naturellement, naturellement ! (Le notaire s'éclaircissait la voix et jetait nerveusement un coup d'œil à ses papiers.)

— Le duc était un homme relativement jeune quand il a été emporté si soudainement, et je crois qu'il pensait vous voir mariée et mère de famille, avant de mourir. Oui, vous parlez des désirs de votre père, *my lady*, mais je crains que ce document ne les reflète pas fidèlement. Vous devez, j'en ai peur, vous préparer à subir un choc.

— Je crains de ne pas vous comprendre, monsieur, murmura Marianna.

— Non, évidemment, vous ne pouvez pas comprendre, répondit M. Cavidor.

— Il y a, naturellement, les dons usuels aux vieux et loyaux serviteurs, tel qu'un certain Andrew Greyson. Et à *lady* Mannering une somme de dix mille livres comptant, accompagnée de ses affectueuses pensées. En ce qui vous concerne *my lady*, le duc vous a pourvue d'une rente annuelle qui doit vous être payée trimestriellement, comme d'habitude.

— Une rente annuelle ! s'écria la marquise en se levant à moitié de sa chaise. Pourquoi n'a-t-il pas tout laissé à la jeune fille ? Après tout, elle est sa seule héritière !

Monsieur Cavidor ne tint pas compte de son interruption et, reprenant ses explications avant qu'elle n'eût le temps de se rasseoir sur sa chaise, il répondit cependant indirectement à sa question, tout en fixant ses yeux sur Marianna :

— Apparemment, vous n'avez pas été informée, *my lady*, dit-il avec douceur, que le patrimoine de votre père — cette maison et la plus grande partie de sa fortune — était soumis à une disposition de dévolution des biens appelée « substitution ».

— Substitution ! s'écria la marquise d'une voix tonitruante.

Lucy lui fit écho, d'une voix moins sonore, et elle ajouta en se tournant vers Marianna :

— Mais j'ignorais ceci, ma chère. Vous devez me croire quand je vous dis que je n'étais pas au courant.

— Cette affaire a été décidée par Sa Seigneurie et votre arrière-grand-père, *my lady*, précisa M. Cavidor. Je suis surpris que vous, au moins, ne le sachiez pas, bien que vous n'ayez pas d'enfant mâle.

— Ne pourriez-vous pas être plus clair, pria Marianna.

— Eh bien, c'est simple ! répondit le notaire, déconcerté. En accord avec les clauses de la substitution, l'ensemble du patrimoine doit aller à l'héritier mâle le plus proche.

— Mais un tel héritier n'existe pas ! s'écria Lucy.

— Ceci n'a pas encore été élucidé, *my lady*, précisa le notaire, en essayant de ne pas regarder Marianna qui était devenue toute pâle. Dans des circonstances semblables à celle-là, la loi exige que l'on fasse des recherches. Si l'on trouvait ne serait-ce qu'un cousin au troisième dégré du côté des Worthington, *ce serait lui l'héritier !*

Il y eut un profond silence dans la pièce, rompu seulement par la forte respiration d'Annestonia.

— C'est pourquoi j'ai dit que Sa Seigneurie ne l'aurait certainement pas voulu ainsi, continua le notaire, en toussant nerveusement. Ce testament a été établi quand il prit le titre de duc, il y a vingt ans de cela ; depuis la naissance de sa fille, le duc et moi, nous n'avons plus eu de discussion sur ce sujet. Je croyais moi-même qu'aucun problème ne se poserait puisque nous pensions tous deux qu'il y aurait au moins un petit-fils à son décès. Cet enfant aurait hérité à la fois du titre et du domaine. Les choses étant ce qu'elles sont, naturellement, le titre disparaît. La pension annuelle, pour vous, *my lady*, dit-il en se tournant vers Marianna et en se forçant à la regarder droit dans les yeux, a été faite simplement pour vous assurer de larges moyens d'existence dans cette éventualité.

— Ce sont peut-être des moyens d'existence, mais certainement pas la fortune ! déclara Annestonia en se levant avec un masque de colère sur son visage noiraud. Venez, George ! Nous avons été amèrement trompés ! Nous allons quitter cette maison sur-le-champ !

— Quant à vous, lança-t-elle en se tournant vers Marianna dans un accès de furie, vous pouvez dire ce que vous voulez — et votre tante également — en prétendant que vous n'étiez au courant de rien. Vous avez eu tort de nous prendre pour des sots. Vraiment vous avez eu tort. Une annuité, en vérité ! Vous aurez de la chance, mademoiselle, si vous trouvez un pasteur pour mari.

Et sur ce, elle sortit précipitamment, suivie de son fils.

CHAPITRE VI

— Mais je vous le dis, il n'existe aucun héritier mâle ! s'écria Lucy. Je suis la sœur du duc, monsieur. Ne croyez-vous pas que je le saurais s'il y en avait un ?

— Malheureusement, *my lady*, dit M. Cavidor, conformément aux termes de la « substitution », nous devons faire des recherches.

— Des recherches !

— Nous mettrons des annonces dans les journaux et nous utiliserons des enquêteurs. Et, je puis vous assurer que la nouvelle va se répandre vite. Ce dernier moyen est peut-être fâcheux... mais on ne peut l'éviter.

— Jamais aucun parent ne séjournait à la maison, mais peut-être en existait-il, fit remarquer Lucy d'un air songeur.

— Si vous savez quelque chose qui pourrait aider monsieur Cavidor à identifier les autres membres de la famille, ma tante, vous devez le lui dire, répondit Marianna.

— Mais je ne sais rien, mon enfant, rien.

— Vous avez été très bon, monsieur, dit Marianna en voyant que le notaire se levait pour partir. Il y a une question que je dois poser cependant.

Devons-nous demeurer ici, ma tante et moi, ou devons-nous partir aussitôt que possible ?

— Mais naturellement, vous devez rester ! s'écria M. Cavidor. Il est possible — bien que je ne veuille pas vous donner un faux espoir — que l'on ne trouve pas d'héritier mâle. En accord avec les termes de la « substitution », si au bout de six mois il est prouvé qu'il n'y a pas d'héritier mâle, le domaine vous reviendra, *my lady*.

— Alors, il y a de l'espoir ! lança Lucy.

Aussitôt que le notaire fut parti, Lucy sonna Greyson ; elle s'assit devant son écritoire telle une femme d'affaires et, arrangeant papier et plume devant elle, elle informa Marianna :

— J'ai l'intention d'établir une généalogie, ma chère. Sans attendre, Greyson peut rechercher des informations sur certains parents dont je ne me souviens plus. Et il y a toujours *l'Almanach de Gotha*.

Marianna se retira pour ne plus l'entendre. La journée avait été longue et elle ne désirait qu'une seule chose : être seule pour clarifier ses pensées. Elle n'avait jamais douté que Burnham Hall et le domaine seraient à elle un jour. Non, ce n'était pas exact : elle n'avait jamais accordé, à vrai dire, la moindre pensée à cette question d'héritage. Elle se pressa vers le jardin. L'odeur des roses l'apaisa, et elle essaya d'oublier qu'hier seulement elle et John avaient marché dans ces mêmes allées. Elle savait qu'elle devait rester objective à ce sujet.

Mais la question essentielle demeurait sans réponse : pourquoi son père ne lui avait-il pas parlé de

la « substitution » ? Il devait désirer un petit-fils afin
que la branche aînée fût perpétuée. Et cependant, il ne
l'avait jamais pressée de se marier. Quand il avait
constaté sa répugnance à s'offrir sur le marché du
mariage, comme sa tante le souhaitait, il n'avait pas
prononcé un mot sur la nécessité, pour elle, d'avoir
des enfants le plus tôt possible. Mais pourquoi ? Parce
qu'il était aussi confiant qu'elle-même et qu'il pensait
que beaucoup de temps passerait avant que la mort ne
songeât à l'emporter ? Ce pouvait être la réponse...

Et cependant, elle n'était pas tranquillisée. De
même, elle ne pouvait être sûre — malgré ses protesta-
tions auprès de M. Cavidor — que John Evans
n'avait eu que des motifs des plus louables en prenant
les papiers de son père avec lui. Pour la première fois
de sa vie, elle se sentit en proie à une sorte d'anxiété
due à l'incertitude dans laquelle elle se trouvait. Son
univers avait été si stable jusqu'à présent. Et maintenant, à n'importe quel moment, quelqu'un pouvait
apparaître, faire valoir ses droits, et devenir duc de
Worthington. Sa tante pouvait bien se débattre avec
sa généalogie, et M. Cavidor mettre des annonces et
faire des enquêtes ! Il n'en demeurait pas moins que
dans les mois à venir, chaque jour pourrait apporter
une menace... et il lui fallait admettre que chaque
heure passée dans ces lieux très chers et tant aimés
pourrait être la dernière.

A ce moment précis, elle ne se sentait pas la force
d'accepter cette éventualité et des larmes coulèrent
librement sur ses joues. Elle savait cependant qu'elle
devait être courageuse. Elle avait à faire face à cette
situation particulière qui n'incluait pas, cependant, la
perte de sa fortune. Elle pouvait même supporter de

quitter Burnham Hall, aussi pénible que cela pût être, mais qu'un étranger devînt le maître de sa maison, cela lui paraissait intolérable.

Elle s'imaginait qu'elle était coupable. Oui, elle n'avait pensé qu'à son plaisir et elle avait été désireuse de rester une enfant ! Son père l'avait trop aimée pour la forcer à aller à Londres. Et cependant, elle aurait dû comprendre. Si elle avait écouté sa tante, l'an passé, elle n'aurait pas manqué de prétendants. Elle aurait choisi quelqu'un digne de lui inspirer du respect. Elle serait mariée maintenant, bientôt mère peut-être. Un enfant ! *Un garçon qui aurait été l'héritier du domaine !*

Tourmentée par ce sentiment de culpabilité, elle retourna dans la maison, traversant le salon où elle pouvait entendre sa tante discourir avec Greyson. Sans doute, le pauvre homme devait se sentir piégé par de tels interrogatoires ininterrompus. Quant à elle — aussi repoussante que pût en être la pensée — elle savait qu'il lui faudrait satisfaire sa tante et accepter ses projets de brillant avenir. Dans son esprit, l'idée commençait à germer : elle devait se marier. Avoir un garçon. Ce qu'elle aimait ou n'aimait pas n'avait plus d'importance. Elle savait ce que son père aurait désiré par-dessus tout : un héritier. Simplement un héritier ! Et si le destin voulait lui accorder un sursis, en souvenir de lui, elle le ferait, aussi vite que possible.

CHAPITRE VII

Huit semaines passèrent avant le « coup de fou-dre ». Marianna était en train de marcher dans le jar-din, un après-midi, pensant sombrement à l'avenir, quand Greyson apparut pour l'informer que des visi-teurs étaient arrivés.

— Un certain monsieur Harry Walker, *my lady*, annonça-t-il d'une voix où perçait le mécontentement.

Depuis la mort du duc de Worthington, Greyson avait assumé le rôle de *factotum*, au grand courroux du maître d'hôtel. Officiellement, il conservait son titre de valet, mais depuis la mort du duc, on le laissait agir à sa guise. Marianna, qui l'estimait, avait été très franche avec lui en lui demandant de rester parce que tel aurait été le vœu de son père. Elle l'avait mis au courant de la question de la « substitution » du domaine à un héritier mâle, ce que tous les autres ser-viteurs ignoraient.

— Un monsieur Walker, dit enfin Marianna, en fronçant son front. Je ne crois pas connaître ce nom.

— Peut-être si vous consentiez à rejoindre votre tante au salon un instant, mademoiselle, pourrions-nous découvrir s'il s'agit d'une personne que vous vous devez de recevoir. Il s'est présenté lui-même, voyez-vous, comme étant le fils du second cousin de votre père.

Marianna porta ses mains à son visage.

— En vérité, j'ai pris la liberté d'alerter votre tante avant de venir vous voir. Je crois apercevoir la vicomtesse à la fenêtre du petit salon.

Lucy était bien là et elle agitait avec nervosité une feuille de papier sur laquelle l'arbre généalogique avait été dessiné. Marianna et Greyson se hâtèrent de la rejoindre.

— « Walker » est exactement le nom que j'essayais de trouver, ma chère, expliqua sa tante. Ici, oui juste ici. Vous voyez cette branche. Mon père avait un frère qui mourut avant ma naissance. Vous le savez, naturellement, c'était mon oncle Gerald. Gerald et son épouse ont eu un enfant, une fille, nommée Ruth. Regardez, je l'ai placée juste en dessous. Et il y a eu un scandale ou quelque chose dans le genre à son sujet. On ne parlait jamais d'elle devant moi, à l'exception d'une seule fois. Greyson et moi, nous avons essayé récemment de nous remémorer à quelle occasion...

— Je m'en souviens, *my lady*, acquiesça Greyson gravement. La jeune fille avait fait un mariage contraire au bon sens. Un officier de l'armée, je crois, qui avait une réputation douteuse. Un joueur, en quelque sorte. Le nom du *gentleman* était « Walker ».

— Alors, ce doit être son fils, murmura Marianna.

Bien qu'elle eût pris la précaution de se préparer à cette éventualité, maintes et maintes fois, elle avait espéré que ce jour n'arriverait pas si tôt.

— Il vient revendiquer son droit, sans aucun doute, dit la tante de Marianna, avec agitation. Nous ne devons pas oublier cependant ce que monsieur Cavidor nous a dit : ce monsieur Walker devra lui fournir des certificats d'authenticité.

— Pensez-vous qu'il pourrait être un imposteur, ma tante ? demanda Marianna.

— Tout est possible ! Vous n'avez pas la même expérience que moi. Cependant, nous ne pouvons pas le renvoyer s'il est vraiment un cousin. L'avez-vous installé dans le salon, Greyson ?

— J'ai oublié de mentionner, *my lady*, qu'il y avait une personne avec lui.

— Une personne ? dit Lucy en sursautant. Vous ne voulez pas dire que...

— Je crains fort, *my lady*, car elle n'est pas sa femme. Il l'a présentée comme la comtesse d'Arcy.

— Française ?

Greyson inclina la tête respectueusement.

Poussée par l'émotion et la curiosité à la fois, Marianna descendit rapidement et se dirigea vers le salon, suivie de près par sa tante.

— Ah ! Ah ! c'est certainement ma cousine, maintenant !

Le *gentleman* se tenait debout derrière la porte. Marianna sursauta, car avant qu'elle eût pu faire quoi que ce fût pour l'en empêcher, il déposa un baiser sur sa main. Et aussitôt après, quand la jeune fille présenta sa tante en balbutiant, la main de Lucy reçut le même hommage.

— Et maintenant, laissez-moi vous présenter ma

charmante compagne, annonça Harry Walker, la comtesse d'Arcy.

— Mon Dieu ! que vous êtes cérémonieux ! s'écria la comtesse en tendant sa main avec une vigueur plus masculine que féminine. Appelez-moi Gabrielle, ma chère. Et je vous appellerai… mais Harry n'a pas su me dire quel était votre prénom. Alors, vous ne vous êtes jamais rencontrés auparavant. Les Anglais sont bien froids dans leurs rapports familiaux, n'est-ce pas ?

Avant de la voir, Marianna ne s'imaginait sûrement pas se trouver devant une femme d'une telle beauté. Elle portait une robe extravagante, extrêmement longue et à la taille très haut placée. Sous son chapeau de plumes, les épais cheveux noirs de la comtesse tombaient en boucles savantes. Ses yeux noirs brillants ressemblaient à des joyaux dans un visage parfaitement modelé. Avant que Marianna eût le temps de répondre, elle fut embrassée très cordialement, d'abord sur une joue, puis sur l'autre.

Harry Walker, habillé à la mode, portait des pantalons de grand luxe, couleur brun foncé, une veste très ajustée d'un beau vert riche et, sous un gilet brodé, une chemise à jabot, toute ruchée. Ses cheveux étaient aussi savamment bouclés que ceux de sa compagne, et cependant, à la différence de George, il n'avait rien du *dandy* et il ne cherchait pas — c'est le moins que l'on pût dire — à parler avec affectation.

Sans un mot, Marianna pria les visiteurs de s'asseoir auprès d'elle ; elle ne désirait pas se montrer inhospitalière à l'égard de ce couple dont l'exubérance avait quelque chose d'attirant.

— Vous devriez expliquer comment il se fait que je vous accompagne, Harry, dit la comtesse d'une manière franche. Je n'avais pas réalisé que j'allais rencontrer une jeune fille telle que Marianna et sa chère tante. Elles doivent penser que nous formons un couple joliment scandaleux.

— Le fait est que nous devons nous marier, répondit Harry fièrement en mettant une main bien en chair sur le genou de sa fiancée.

Réalisant son geste un peu trop tard, il retira sa main comme s'il venait de toucher un poêle brulant.

— Que le diable m'emporte, si nous ne sommes pas fiancés ! ajouta-t-il à voix basse.

Marianna était de plus cn plus convaincue qu'Harry Walker, malgré les apparences, n'était pas un *gentleman* des plus raffinés.

— Et je suis veuve, ajouta la comtesse triomphalement. Alors, vous voyez, bien que ce ne soit pas tout à fait comme il faut de voyager sans chaperon — nous venons seulement de Londres et nous sommes partis ce matin — Harry et moi, nous n'avons pas à nous cacher.

— Et maintenant que les choses sont réglées, dit Gabrielle avec satisfaction, veuillez expliquer pourquoi vous êtes venu, Harry. Je suis sûre que Marianna doit se demander si cela a quelque chose à voir avec — quel est le mot ? — la révélation du testament. Entre nous, ajouta-t-elle en jetant un regard à la jeune fille, c'est la seule raison qui nous amène. Pourquoi prétendre le contraire ?

— Minute, femme ! s'écria Harry Walker. D'abord,

vous me demandez de dire une chose et ensuite vous la
dites vous-même ! Que le diable vous emporte si vous
osez me couper encore la parole !

Le sourire éclatant de la comtesse semblait tout de
même un peu forcé.

— Quel garçon amusant, ce cher Harry ! dit-elle à
Marianna. Il me fait tordre de rire... est-ce bien le
terme ?

En d'autres circonstances, Marianna aurait été
amusée d'entendre de l'argot anglais prononcé avec
un si charmant accent. Mais elle commençait à ressentir le choc que lui causait cet homme, assis en face
d'elle, le visage coloré et l'air assuré, qui pouvait être
le véritable héritier de sa maison.

— Vous penserez probablement que c'est incroya-
ble, lui dit-il, mais votre père venait à peine de passer
l'arme à gauche que déjà quelque cancanier m'annon-
çait la nouvelle !

— C'était monsieur Therrault, Harry, interrompit Gabrielle. Avez-vous oublié ? Et il n'a pas été le
seul à vous dire que votre cousin anglais était mort.
Non, c'est après avoir vu l'annonce dans les journaux
que vous avez demandé à monsieur Therrault de
s'informer sur la teneur du testament.

— Allez au diable ! s'écria Harry Walker avec
colère.

— Vous n'avez pas besoin de vous énerver, mon
cher, répondit la comtesse, apparemment sereine. J'ai
eu tort, je suppose, de vous interrompre. Mais je pensais que vous aviez fait erreur, et je sais combien vous
tenez à être loyal.

— Vous êtes une fine mouche en matière de
loyauté, madame, dit Harry Walker d'un air mena-

çant. Si vous continuez à jouer ce petit jeu-là, vous
allez vous retrouver dans un drôle de bain.

Marianna s'éclaircit la voix. Elle aurait dû être
choquée d'entendre un *gentleman* parler de la sorte à
une *lady* mais elle avait rapidement compris qu'elle
n'avait pas affaire à des gens de qualité. Quel que soit
le cas, elle désirait entendre ce que M. Walker avait à
dire, le plus vite possible.

— Où en étais-je ? demanda Harry en se grattant
la tête avec un singulier manque de délicatesse qui
devait être sa façon de se comporter en général.

— Vous avez découvert les clauses du testament
de mon père, répliqua Marianna promptement, en
faisant semblant de ne pas entendre sa tante qui
commençait à ricaner derrière son éventail. Ne nous
attardons pas outre mesure pour savoir comment et
pourquoi vous avez été mis au courant. Etiez-vous à
Londres, à ce moment-là ?

— Vous voyez ce que vous avez fait, madame !
s'écria Harry en se tournant vers sa compagne. Vous
m'avez tellement embrouillé le cerveau que je ne peux
même pas raconter une simple histoire, sans que cette
femme-là — ne me remette sur la voie, en me tenant la
main, pour ainsi dire.

Lucy haussa ses fines épaules et elle se mit à regarder ses ongles.

— Vous devez penser que je suis un arriéré men-
tal, continua Harry en s'adressant directement à
Marianna. Ses yeux louchaient en la regardant
comme, au cours d'une partie de poker, les joueurs
spéculent sur leurs chances avant de faire une offre.

— C'est tout le contraire, je vous assure, dit
Marianna à voix basse. Dois-je croire que vous êtes

venu à Burnham Hall en tant qu'héritier ? Je suppose que vous êtes au courant de la nature de la « substitution » sur ce domaine.

— Oh ! là, là, cousine ! Vous y allez carrément, protesta Harry Walker. Ne nous pressons pas, ce sera le meilleur moyen pour amortir le choc...

— J'apprécie votre délicatesse, monsieur, rétorqua Marianna sèchement. Cependant, puisque vous vous êtes présenté à moi comme un cousin du côté de mon père, et puisque vous êtes, en fait, un homme, il n'est pas nécessaire d'avoir beaucoup d'imagination pour supputer la raison de votre venue ici.

Chose curieuse, ce ne fut qu'au moment où elle prononça ces mots qu'elle réalisa pleinement ce que la présence de ce prétendu cousin signifiait... et elle se sentit accablée. Un homme, vraisemblablement un chenapan, une fripouille, était venu pour faire valoir ses droits et, si sa tante et Greyson ne se trompaient pas, il y avait peu de doute qu'il ne fût l'héritier. La maison, le domaine, la fortune. En revanche, puisqu'il descendait de la lignée féminine, il n'avait aucune chance d'hériter du titre. Elle devait, pensait-elle, se satisfaire de cela.

— Je crains bien que les premières démarches ne doivent être effectuées à Londres, commença Marianna, en essayant de cacher son abattement. Je vous donnerai le nom et l'adresse du notaire de mon père. Il vérifiera vos prétentions et il prendra des dispositions pour...

— Vérifier mes prétentions, dites-vous ! (Harry Walker semblait scandalisé et il se mit debout.) Je n'ai besoin d'aucune aide des avocats de Londres pour cela. Désirez-vous voir mes papiers, cousine ?

— Non, lui répondit Marianna. Aucun désir, vraiment ! Je n'ai pas voulu dire que je vous suspectais de vouloir vous faire passer pour un autre.

— Mais naturellement, vous devez être Harry Walker puisque vous le dites, dit Lucy d'une petite voix aiguë. Voyant que sa nièce commençait à perdre son calme, la vicomtesse espérait ainsi apaiser les esprits.

— Il n'en est pas moins, continua Marianna, que cette affaire doit être traitée par monsieur Cavidor. Si votre revendication peut être reconnue, comme je suis sûre qu'elle le sera, monsieur Cavidor m'en informera en conséquence, et ma tante et moi, nous partirons de Burnham Hall immédiatement.

— Non ! Non ! s'écria la comtesse. Harry ne vous jettera pas dehors, mon amie. Vous devez continuer à faire de cette charmante maison votre *home*. N'ai-je pas raison, Harry ? Vous ne désirez sûrement pas qu'une jeune fille innocente soit sans abri, à cause de vous ! Mon Dieu ! je ne serais jamais venue avec vous si j'avais imaginé...

— Parfois, vous agissez comme un chat assis sur la plaque brûlante du four du boulanger. Que le diable m'emporte si cela n'est pas vrai ! dit Harry Walker en l'interrompant. Naturellement, cette gamine restera ici si elle le désire et sa tante également. Je ne pense pas y demeurer trop longtemps. L'air de la campagne ne me convient pas. Mon style à moi, c'est le mouvement de Londres, le *Cercle Brooks*, le soir... pour jouer. J'admets qu'en partant de Londres, dernièrement, je n'étais pas en odeur de sainteté dans l'établissement, mais quand la nouvelle se répandra...

— Oh ! alors, tout se passera pour le mieux !

assura Gabrielle à Marianna. Tant qu'Harry a de
l'argent dans les poches, il n'a pas besoin de siffler
pour trouver des amis. Ma chère, je ne voudrais pas
être importune, mais le fait est qu'Harry et moi nous
n'avons rien mangé, sinon une légère collation en
route. Vous êtes si aimable que vous ne m'en voudrez
pas de vous dire qu'Harry aimerait dîner de bonne
heure.

CHAPITRE VIII

Les bureaux de M. Cavidor à Templebar avaient été aménagés de telle sorte qu'ils inspiraient la confiance, sinon la gaieté.

— Naturellement, monsieur Walker n'avait pas le droit de se présenter à Burnham Hall et de faire comme s'il était chez lui ! dit M. Cavidor en fronçant les sourcils. Lui avez-vous dit qu'il devait venir me voir ?

— Vraiment, nous n'avons pas cessé de le lui répéter, lui assura Lucy. De toute ma vie, je n'ai vu un homme aussi indifférent aux paroles qu'il ne désire pas entendre.

— Vous êtes notaire, monsieur Cavidor, et sans doute, il vous semble dans l'ordre des choses que ces questions d'héritage soient réglées tout à fait légalement. Mais monsieur Walker est une autre sorte de personne. Il nous a fait comprendre clairement — n'est-ce pas, ma tante ? — qu'il se considérait déjà comme le maître de Burnham Hall. Et quant aux questions légales à régler, il a assuré qu'on pouvait le trouver soit à la campagne, soit à Londres, si vous désirez le voir réellement.

Si le but de son petit discours était de piquer au vif

le notaire pour l'amener à réagir, Marianna avait réussi

— Vraiment ! répondit-il en se tortillant.

— C'est précisément ce qu'il a dit, assura Lucy au petit homme. C'était juste avant qu'il n'insiste auprès de Greyson pour que celui-ci le conduise dans la cave à vin.

— Et, que faisait-il, si je peux me permettre de le demander, dans la cave à vin du duc ?

— Vous oubliez que vous parlez de « son » vin, de « sa » cave, dit Marianna à voix basse.

Les deux derniers jours avaient paru à la jeune fille très difficiles. Comme si l'arrivée d'Harry Walker n'avait pas été suffisamment pénible, sa tante avait insisté pour faire le voyage à Londres avec elle. Lucy s'était lamentée durant tout le trajet sur son malheur d'aller à Londres dans des circonstances aussi déplaisantes. Tandis que Marianna réfléchissait ainsi, sa tante était en train de relater les événements de la veille, racontant comment Harry Walker avait commandé son dîner et choisi le vin parmi les plus fins crus de la cave du duc.

— Et ce n'est pas le pire, dit-elle, haletante. Il était pris de boisson avant que le troisième plat ne fût servi. Il fallut deux valets, en plus de Greyson, pour le porter dans sa chambre.

Marianna se rappela la tristesse des yeux du vieux serviteur aidant à porter l'étranger ivre à l'étage supérieur, tandis que la comtesse, manifestait son mécontentement dans un flot de paroles françaises... et la jeune fille se sentit glacée jusqu'aux os. Partir de la maison et quitter les serviteurs qu'elle connaissait, pour la plupart, depuis toujours, était suffisamment

tragique ; mais, devoir tout laisser entre les mains
d'un homme comme Harry Walker était simplement
intolérable ! Durant le dîner, avant qu'il ne fût trop
ivre, il avait dit clairement que peu de choses l'intéres-
saient dans la vie, à part le jeu. Et il était certain
d'après les remarques acerbes de la comtesse, que sa
chance au jeu n'était pas du tout éclatante. Combien
de temps lui serait nécessaire pour dilapider toutes ces
choses qui avaient été si chères à son père, non pas
pour leur valeur en argent, mais parce qu'elles étaient
le patrimoine de nombreuses générations. Combien
d'années faudrait-il avant de retrouver le dernier meu-
ble et le dernier bijou entre les mains des prêteurs à
gages ? Comme son père aurait souffert de cela et
comme tout en lui se serait indigné ! C'est pourquoi
elle avait décidé de se rebeller !

— Je ne suis pas venue à Londres simplement
pour vous dire cela, dit Marianna quand sa tante fit
une pause pour reprendre son souffle. Une telle information aurait pu aisément être exprimée par lettre.
Mais j'ai tenu à vous en parler en privé, comme je suis
en train de le faire maintenant, pour vous demander
de trouver rapidement quelqu'un qui pourrait avoir
plus de droit que cet homme. C'est un imposteur,
monsieur, et un chenapan de la pire espèce !

Monsieur Cavidor respira profondément et dit :

— C'est certainement le cas, *my lady*. Je peux
comprendre les sentiments de révolte que sa présence
dans votre maison vous inspirent. Je suppose, n'est-il
pas vrai, que votre tante partage votre attitude ?

Marianna le regarda, ahurie, car il était clair que
cette question n'avait pas été posée gratuitement,
mais plutôt intentionnellement.

— Pourquoi ? Oui, naturellement ! s'écria Lucy. Il faudrait que j'aie la cervelle fêlée pour ne pas voir que monsieur Walker est un usurpateur et un odieux personnage !

— Et cependant, même si ses prétentions sont fondées, il est seulement le deuxième cousin de votre frère, dit M. Cavidor à voix basse. Je ne me trompe pas, *my lady* ?

Lucy consulta l'arbre généalogique qu'elle ne cessait de plier et de déplier nerveusement depuis une bonne heure.

— Oui, oui, c'est tout à fait vrai, répondit-elle, car le grand-père d'Harry Walker était le frère de mon père.

— Je suis sûr que vous avez réfléchi à cette question très sérieusement, dit M. Cavidor en inclinant sa tête sur le papier qu'elle tenait en main. Vous avez dû alors réaliser qu'il pourrait se trouver quelqu'un de beaucoup plus proche comme prétendant au titre.

La vicomtesse s'assit très doite sur le bord de son siège et cligna des paupières avec agitation.

— Un neveu, peut-être, ajouta le notaire à voix basse. Ah ! mais je vois, d'après votre expression, que l'idée ne vous était pas venue à l'esprit. Je dois avouer que c'est seulement aujourd'hui que nous avons reçu l'information nécessaire. Etant donné les circonstances, c'est fâcheux que nous ayons pris du retard. Vous auriez été d'un grand secours, *my lady*, si vous nous aviez révélé l'existence de votre sœur cadette.

— Une sœur ! s'écria Marianna. Mais c'est impossible. Papa n'a jamais parlé d'une sœur en dehors de vous-même, ma tante. Et vous non plus !

Cela peut-il être vrai ? Ai-je une autre tante ? Dites-le-moi, je vous en prie.

— Vous n'en avez pas d'autre, naturellement, ma chère, dit *lady* Mannering d'une voix chevrotante. Susan est morte avant votre naissance. Vous m'étonnez, monsieur Cavidor ! Vraiment, vous m'étonnez. Ebranler la pauvre enfant de cette manière ! J'ai toujours cru que vous étiez la discrétion même, mais je vois maintenant que je dois réviser mon jugement. On m'avait recommandé, il y a vingt-cinq ans de cela, de ne parler d'elle à personne. C'était peut-être cruel de la part de papa, mais je suis convaincue qu'il n'avait aucune mauvaise intention. Vraiment, quand j'y songe, c'est Susan qui fut cruelle. Elle l'avait terriblement blessé. Je me souviens qu'un jour, revenant de l'école de mademoiselle Baxter, pour les vacances, et arrivant à la maison, j'ai constaté que Susan était partie. Papa ne m'a jamais dit pourquoi, sinon que c'était Susan qui en avait décidé ainsi. Je crois qu'il y eut une querelle entre eux. Papa et Susan étaient tous deux très volontaires.

— Quel genre de querelle cela peut-il bien être pour qu'une fille parte de chez elle, définitivement ? demanda Marianna.

Lucy et M. Cavidor échangèrent des regards, et la jeune fille comprit qu'ils avaient eu la même pensée.

— Il est possible que votre sœur se soit enfuie avec l'homme qu'elle aimait ! murmura Marianna.

— Non, non ! Je suis sûre que ce n'était pas cela.

— Mais comment pouvez-vous en être sûre, tante Lucy ?

— Eh bien, ma chère, si vous voulez le savoir, votre père est resté en rapport avec Susan. Il m'avait dit, je m'en souviens, qu'elle était en sécurité, et que je n'avais pas à me soucier pour elle. Puis, quelque temps après, il m'a dit qu'elle travaillait pour les pauvres, ici à Londres.

— Pourquoi ne pas m'avoir dit tout cela avant, demanda Marianna.

— Les vieilles coutumes sont difficiles à changer, ma chère. De plus, je garderai toute ma vie le souvenir du regard de papa quand il nous a dit que plus jamais il ne désirait entendre prononcer son nom dans cette maison. Même les serviteurs furent prévenus.

— Mais alors, Greyson est au courant !

— Oui, mais nous étions tous les deux d'accord pour que le nom de Susan n'apparaisse sur aucune branche, dit Lucy. Ce n'était pas nécessaire, voyez-vous, elle est décédée il y a plus de douze ans. Je le sais parce que votre père me l'a dit. Il avait reçu une lettre écrite, à la demande de Susan, par le médecin qui la soignait. Elle faisait dire qu'elle était atteinte de phtisie galopante et qu'elle désirait que James ne soit informé de sa mort qu'après les funérailles. Elle fut enterrée à Londres, je ne sais pas où. Votre père se rendit à Londres peu après, mais, à son retour, il ne m'a rien dit.

— Alors, vous ne savez pas si elle était mariée ou pas ? A-t-elle eu un enfant ? demanda Marianna.

— Mais jamais, naturellement ! protesta Lucy en dénouant les rubans de son bonnet et en s'éventant.

— Comment pouvez-vous en être certaine ? persista la jeune fille.

— Eh bien, si elle avait eu un mari ou un enfant, James me l'aurait dit, n'est-ce pas ? rétorqua sa tante. Il me disait les choses les plus importantes, vous savez. Qu'elle était en sécurité... qu'elle travaillait.

J'ai su quand elle est morte et j'aurais entendu parler d'une famille s'il y en avait eu une.

Le notaire s'éclaircit la voix bruyamment.

— Je crains, ajouta-t-il en fronçant les sourcils que certains éléments de cette affaire *n'aient* été omis, bien que, *my lady*, je sois convaincu de l'exactitude des propos de votre tante.

— Si vous en savez davantage sur ma sœur que moi-même, monsieur, fit remarquer Lucy sèchement, vous auriez dû m'interrompre.

— Il ne voulait pas vous froisser, ma tante, dit Marianna avec douceur. Dites-nous, je vous en prie, ce que vous avez découvert, monsieur Cavidor.

— On peut l'expliquer simplement, répondit le notaire en consultant un papier qu'il tenait en main. Comme vous le savez peut-être, jusqu'à ce que la question de la « substitution » soit réglée, notre étude est responsable financièrement de l'administration du domaine. En examinant les reçus du duc, entre autres choses, un de nos comptables a découvert qu'une certaine somme avait été depuis longtemps déposée par votre père à la banque, ici à Londres ; cet argent servait à alimenter des retraits trimestriels effectués par sa sœur Susan.

— Cher James ! s'écria Lucy. Toujours si généreux ! J'aurais dû savoir qu'il trouverait un moyen pour l'aider !

— Je ne pense pas que ce soit tout ce que monsieur Cavidor a à nous dire, dit Marianna en interrompant sa tante.

— Non, ce n'est pas tout, *my lady*, approuva le notaire. Les fonds ne devaient pas seulement être attribués à la sœur de votre père, mais en cas de décès,

à un enfant ou des enfants qu'elle pourrait avoir eus.
Le directeur de la banque affirme qu'il ne peut nous
en dire davantage. Les fonds sont toujours retirés,
régulièrement. Quatre fois par an depuis le décès de la
dame en question, il y a douze ans de cela !

CHAPITRE IX

Si Marianna n'était pas allée à Londres dans le seul but d'éclaircir le cas d'Harry Walker, peut-être aurait-elle repoussé l'idée de sa tante de loger chez les sœurs Dulford. Deux vieilles amies de Lucy, qu'elle n'avait pas revues depuis de nombreuses années, mais qui, assura-t-elle à Marianna, avaient envoyé des condoléances à la mort de son frère, en l'invitant à leur rendre visite lors de sa prochaine venue à Londres. Marianna voulait loger à l'hôtel, mais elle céda devant l'insistance de sa tante. Celle-ci envoya aussitôt un mot pour annoncer leur arrivée.

En définitive, Marianna ne fut pas mécontente d'être accueillie affectueusement par ces deux femmes âgées qui l'aidèrent à retirer sa pelisse comme si elle était une enfant, et qui la conduisirent vers une table où un plateau de thé les attendait. Quant à Lucy, une soubrette aux joues rouges la conduisit dans la chambre qui lui avait été réservée à l'étage supérieur et, sur l'insistance de ses hôtesses, elle put s'allonger pendant une vingtaine de minutes.

— Elle sera rapidement remise, dit Evelyn d'une voix grave et posée, en se mettant à servir le thé. Je

connais Lucy depuis une éternité et je suis extrêmement attachée à elle.

— Oui, extrêmement attachée, répéta Frances en
remuant sa tête de haut en bas.

— S'il y a une chose dont je suis sûre, c'est que
Lucy fera tous les efforts qu'elle pourra pour ne pas
manquer son thé l'après-midi.

— Surtout parce que nous avons des gâteaux
écossais, ajouta Frances en passant le plat une
deuxième fois et en se servant elle-même avec une
mine gourmande.

— Nous ne voulons pas être indiscrètes, demanda
Evelyn en faisant un grand sourire à Marianna. Mais
nous imaginons votre peine et nous admirons votre
courage.

Marianna le croyait aisément car Evelyn semblait
aussi solide qu'un roc. Elle portait une robe de mousseline grise du même ton que ses yeux gris, et ses cheveux étaient coiffés en un chignon, sinon démodé, du
moins strict.

— Comme je vous l'ai dit, je refuse d'être indiscrète, ma chère, continua-t-elle d'une voix uniforme.
Mais si je peux vous aider, je ne demande qu'à le
faire. Votre tante ne vous l'a peut-être pas dit, mais
nous étions dans la même classe.

— Oui, dans la même classe, répéta Frances en
battant des mains avec un ravissement enfantin.

Marianna remarqua qu'elle était habillée comme
une enfant malgré ses cheveux aussi gris que ceux de
sa sœur. Elle portait une robe ruchée, en tissu à fleurs,
avec des nœuds de ruban, et par-dessus sa robe, un
tablier. Son visage, pas du tout ridé pour son âge,
était rose et blanc comme de la porcelaine et ses yeux

bleus pétillèrent en prenant sa troisième tranche de gâteau.

— Naturellement, continua Evelyn en poussant subrepticement le plat à gâteaux hors de portée de la main de sa sœur, je comprendrais très bien si vous préfériez parler du temps plutôt que de ce qui vous préoccupe.

Il y avait quelque chose dans ces propos sincères mais délicats que Marianna trouvait touchant. Elle comprenait l'émotion de sa tante en apprenant qu'elle avait une nièce ou un neveu dont elle n'avait jamais entendu parler. En vérité, cette nouvelle avait aussi été un choc considérable pour elle-même. Mais, tant de choses s'étaient produites, ces dernières semaines, qu'elle commençait à s'habituer à cette vie pleine d'événements les plus imprévisibles. C'était un soulagement pour Marianna de penser qu'il pouvait y avoir un autre prétendant au titre que Harry Walker ! Mais pourquoi ennuyer cette femme aux yeux sereins avec ses malheurs à elle ?

— Tout est si compliqué, dit-elle gravement, à voix basse.

— Je le crois tout à fait, ma chère. Quand j'ai rencontré votre tante, nous avions douze ans toutes les deux. Nous allions à l'école de mademoiselle Baxter, la *Select Academy*. Lucy parlait souvent de son père — votre grand-père. Naturellement, vous n'avez pas pu le connaître. J'ai une bonne mémoire et je me souviens très bien de votre tante...

Marianna se rendit compte qu'on la mettait à

l'aise tout à fait adroitement ; elle but son thé à petites gorgées et elle laissa Evelyn exercer son adresse.

— Le duc était un homme particulier à certains égards. Il s'intéressait à peu de chose, pour ainsi dire à rien. On peut dire qu'il était tout à fait banal. Prévisible. J'espère que vous ne m'en voulez pas de vous parler franchement. Après tout, il s'agit de votre grand-père.

— Je suis ravie d'entendre les impressions d'un observateur objectif, assura Marianna chaleureusement à son hôtesse.

— Je ne sais si j'ai été impartiale après ma première visite à Burnham Hall, pendant les vacances, dit Evelyn tristement. Durant mon premier séjour, je l'ai trouvé tout à fait charmant. Mais, alors, naturellement, quand il a renvoyé la pauvre Susan...

— Vous la connaissiez ?

— Pauvre Susan ! répéta Frances, faisant écho à sa sœur.

— Voudriez-vous, chérie, aller voir comment va Lucy ? demanda Evelyn à Frances.

Il y avait entre les deux sœurs tant d'affection silencieuse que Marianna se surprit à sourire en voyant Frances se lever et quitter la pièce en trottant, comme une petite fille obéissante.

Evelyn reprit :

— Pour en revenir à Susan, je l'ai rencontrée plusieurs fois, pendant les vacances. Elle était très belle, et indépendante. Elle désirait prendre elle-même ses décisions, mais son père ne voulait pas en entendre parler. C'était essentiellement ce qui les séparait et rendait les choses si difficiles. Le duc, votre grand-père, voulait la marier, je m'en souviens, à un jeune *gentleman* habitant aux alentours du domaine, pour la garder près de lui, sous son contrôle — c'est ce qu'elle disait, du moins.

Les yeux de Marianna s'embrumèrent à la pensée qu'elle aurait aimé passer le restant de sa vie à s'occuper de son père et, en retour, à être choyée par lui. Et cependant, elle n'avait jamais eu l'impression de manquer d'indépendance.

— Savez-vous ce qui lui est arrivé ? demanda Marianna brusquement. Ma tante peut seulement me dire qu'elle avait quitté la maison et que son nom, suivant les ordres de mon grand-père ne devait jamais plus être prononcé.

— Oui, dit Evelyn avec douceur, Lucy m'avait parlé du départ de sa sœur. Elle n'a voulu me répéter que ce que lui avait dit son père : « L'intrépide fille a déguerpi » et il ne voulait plus entendre son nom. C'est pourquoi, je vous l'ai déjà dit, je le considérais comme un homme mesquin.

Sa voix était si méprisante que Marianna sursauta.

— Je crains de ne pas comprendre...

— Un père qui chasse sa fille de sa maison parce qu'elle lui a désobéi, même dans des circonstances sérieuses, est pour moi un homme mesquin. C'est ce qui se passait de mon temps, et je le déplore.

— Penser que grand-père ait pu se comporter si misérablement ! dit Marianna pensivement. Si mon propre père et moi, nous avions été en désaccord, nous aurions certainement trouvé une solution pour nous en sortir.

Elle parlait rapidement ; elle voulait bien que cette admirable dame critiquât ce grand-père inflexible, mais tout de même, elle se sentait irritée à l'idée que l'on pût accuser de la même façon tous les ducs de Worthington.

La dame âgée secoua la tête en signe d'assentiment.

— Même enfant, votre père n'était pas capable d'abandonner qui que ce soit, ajouta-t-elle. Quel malheur que vous l'ayez perdu !

Complètement captivée, Marianna lui raconta tout. L'arrivée de la duchesse de Darby et de sa famille à Burnham Hall, moment à partir duquel la malchance avait commencé. La mort de son père... et le départ de John. La disparition des papiers de son père. Evelyn écoutait très attentivement la jeune fille parler. Elle relatait maintenant la revendication d'Harry Walker et ce que M. Cavidor lui avait appris, ainsi qu'à sa tante, de la possibilité de l'existence d'un autre héritier, dans le cas où Susan aurait laissé un fils.

Quand elle s'arrêta de parler, Evelyn servit une autre tasse de thé, puis elle sembla perdue dans ses pensées.

— Vous comprenez maintenant, dit Marianna, après un instant de silence, pourquoi j'ai posé tant de questions sur Susan. Quand vous m'avez dit que vous la connaissiez, j'espérais que vous en sauriez davantage que tante Lucy sur ce qui lui était arrivé.

Les yeux gris d'Evelyn, quand elle leva la tête, étaient troublés.

— La chose la plus importante, peut-être, que je connaisse est que Susan n'a jamais voulu dépendre financièrement de son père. Je suis surprise d'entendre qu'elle avait accepté l'annuité que votre père lui avait constituée.

Elle tendit la main et pressa les doigts de Marianna.

— Ce serait une belle chose, fit-elle remarquer, si la vie était aussi droite que ma sœur l'imagine. Sur bien des points, elle a de la chance de voir la vie à travers des yeux d'enfant.

— Je crains de ne pas vous suivre...

— Non, je pense que vous ne me suivez pas, répondit Evelyn en regardant attentivement la jeune fille. Il faut que je réfléchisse un peu à ce que vous m'avez dit. Mais, croyez-moi, ma chère, je vous aiderai, si je le peux. Maintenant, dites-moi ce que vous feriez si vous appreniez qu'on a trouvé un héritier.

— Que pourrais-je faire ? répondit Marianna. Depuis la mort subite de mon père, la fuite de son secrétaire avec l'ouvrage commencé ensemble, ma vie qui semblait toute tracée a basculé dans l'incertitude.

Le temps de cette conversation entre Evelyn et Marianna, Lucy, de son côté, dans la chambre auprès de Frances, essayait de réfléchir sur le même sujet. La pensée que sa sœur Susan avait eu un enfant lui avait causé un grand choc dont elle se remettait difficilement.

CHAPITRE X

Marianna découvrit cet après-midi-là le désir tenace de sa tante de rester à Londres un peu plus longtemps.

Lucy paraissait si enthousiaste que Marianna aurait accepté immédiatement si elle n'avait pas entendu la suite des propos de sa tante.

— Il se peut que monsieur Walker n'ait pas quitté Burnham Hall, demain. Pensez au tracas que ce serait pour vous, ma chère, si nous devions rentrer et le trouver avec cette effroyable créature !

— Ce ne sera certainement pas le cas, dit Marianna sèchement et la vicomtesse se rendit compte qu'elle venait de perdre la partie. Car, à peine avait-elle exprimé ses craintes que Marianna décidait de retourner à Burnham Hall, dès le lendemain matin, afin de défendre ses droits, même temporaires, de maîtresse des lieux. Lucy ne savait pas si elle devait être contente ou attristée de constater que la jeune fille reprenait ses esprits et retrouvait son caractère impétueux et volontaire.

Quant à Marianna, elle sentait monter en elle une excitation très vive qui grandissait au fur et à mesure qu'elle parlait. Harry Walker était, jusqu'à preuve du

contraire, un intrus. Et elle déploierait tous ses efforts
pour le lui faire comprendre, même s'il fallait en venir
à le faire jeter hors de la maison.

Elle avait exposé son cas à sa tante avec tant de
vigueur que celle-ci retourna dans sa chambre,
convaincue de la nécessité de leur retour à Burnham
Hall. Et c'est ce qu'elles auraient fait si M. Cavidor
n'était arrivé au moment même où elles étaient prêtes
à partir.

— Vous serez vraisemblablement soulagée
d'apprendre, *my lady,* qu'Harry Walker a, pour le
moment, du moins, quitté Burnham Hall et volontairement, déclara-t-il.

— Je suis extrêmement heureuse de l'apprendre !
s'écria Lucy.

— Je dois avouer que cette nouvelle me fait plaisir, aussi, répondit Marianna. C'est gentil de votre
part d'être venu nous en informer, monsieur, car nous
étions sur le point de retourner à la maison, afin de
nous assurer que monsieur Walker n'y demeurerait
pas une minute de plus que nécessaire.

Elle parlait avec une telle détermination que
M. Cavidor la regarda curieusement : vraiment, cette
jeune fille, aux joues en feu et aux yeux noirs brillants, ressemblait fort peu à la jeune personne pâle et
languissante qu'il avait vue récemment.

— Puis-je vous demander, continua Marianna,
comment avez-vous su que monsieur Walker n'était
plus au domaine ?

— Vous avez tout à fait raison, *my lady*. Je crains
que monsieur Walker ne soit venu à Londres pour une
affaire fâcheuse.

— Une affaire ! s'écria Lucy. Quelle affaire, je vous prie ?

— Celle d'emprunter de l'argent en faisant jouer ses espérances, répondit le notaire sévèrement. Depuis mon arrivée à mes bureaux ce matin, jusqu'au moment de me rendre chez vous, j'ai été assiégé par des prêteurs d'argent, dont certains de réputation douteuse, mais qui tous avaient la même question à me poser : Harry Walker héritera-t-il de la fortune du duc de Worthington ?

Marianna sentit la colère la gagner à l'idée que ce scélérat avait essayé de spolier le patrimoine de son père.

— N'y a-t-il aucun moyen pour que le nom de notre famille ne soit pas mêlé dans de telles histoires ? demanda-t-elle, en se levant et en marchant de long en large dans la pièce. Père en aurait été bouleversé !

— Je vous assure, *my lady,* que je leur ai seulement dit qu'un héritier serait désigné dans les quelques mois à venir, dit M. Cavidor rapidement. Certains de ces usuriers prendront sans doute le risque de lui avancer de l'argent sur un possible héritage. Car, en vérité, je ne peux pas leur affirmer qu'il n'y a aucun droit.

— Quelle calamité que vous ne le puissiez, murmura Marianna en continuant à marcher, les yeux pensifs. Dites-moi ce que vous avez l'intention de faire dans ce cas ? Ne pouvez-vous pas simplement informer la banque que vous mettrez tout en œuvre pour connaître le nom de la personne inconnue qui tire sur le compte de Susan depuis son décès. Ils ne pourront pas refuser de vous le dire, quand ils connaîtront ces faits nouveaux.

Elle parlait avec impétuosité ; monsieur Cavidor se leva rapidement et enfila ses gants jaunes, en donnant l'impression d'un homme qui n'avait plus une minute à perdre.

— Pour ce qui concerne la banque, *my lady*, assura-t-il, je vais, de ce pas, avoir un entretien avec un personnage très important, et je ne doute pas que cette affaire soit résolue d'une manière satisfaisante.

— Vous m'informerez dès que vous connaîtrez le nom ? ajouta Marianna très vite, en le suivant vers la porte.

— J'enverrai une lettre à Burnham Hall immédiatement.

— Je vous en prie, envoyez-la ici, monsieur, dit Marianna très tendue. Puisqu'il a plu à monsieur Walker de retourner à Londres, je pense que je n'ai pas besoin de quitter cette maison aussitôt. Vous plairait-il, ma tante, de prolonger notre petit séjour ?

Lucy, enthousiasmée, lui exprima son assentiment.

— Et si vous voulez bien nous garder ? demanda Marianna, souriante, en se tournant vers Evelyn.

— Vous savez que je ne vous aurais pas invitées si je ne l'avais désiré de tout mon cœur, ma chère. Oui, monsieur Cavidor. Envoyez vos messages ici. Vous pouvez le faire. Je serais reconnaissante si vous me permettiez de poser une question. Cela ne me regarde pas, bien sûr, mais... comme je vous l'ai dit hier, j'ai bien connu Susan. Et je me demande, en conséquence, s'il serait sage d'aller contre ses désirs, et apparemment aussi contre ceux de votre père.

Le notaire fronça les sourcils et Marianna parut intriguée.

— Mais mon père ne pouvait pas savoir que ses affaires prendraient une telle tournure, protesta la jeune fille. Dans certains cas, les serments ne peuvent être tenus !

— Je suis d'accord sur ce point, dit fermement M. Cavidor.

Marianna essaya d'en savoir davantage après le départ du notaire, mais Evelyn ne voulut plus rien dire sur ce sujet. Elle s'intéressa aux projets de Lucy qui désirait faire des excursions aux alentours de la cité. Durant quelques jours, en effet, les trois dames et la jeune fille se transformèrent en touristes, se promenant en descendant rarement de la voiture, Lucy ayant trouvé que ce compromis convenait à leur deuil. Marianna ne mit pas longtemps à réaliser qu'elle échangerait volontiers les attractions de *St. Paul's the Strand* et de *Piccadilly Circus* pour le calme de la campagne. Mais comme il était évident que de telles sorties comblaient de plaisir enfantin sa tante et Frances, elle n'émit aucune protestation. Cependant, loin de la distraire de ses problèmes, ces constantes allées et venues les accentuaient.

Le troisième après-midi, Marianna s'excusa en prétextant une forte migraine et elle se trouvait seule dans la maison d'Albemarle Street quand le maître d'hôtel vint lui annoncer qu'un certain M. Fulson désirait lui parler.

Marianna ne cacha pas que ce nom ne signifiait rien pour elle.

— C'est bien ce que je pensais, *my lady,* répondit
le serviteur, le visage impassible. Ce gentleman dit
qu'il est lieutenant de police... et il a prononcé le nom
du marquis de Darby.

Durant un instant, Marianna ne put se souvenir où
elle avait entendu ce nom. Soudainement, elle se rappela cet après-midi terrible à Burnham Hall. C'était
juste au moment où M. Cavidor s'apprêtait à lire le
testament et qu'on découvrait la disparition de John.
L'émotion qu'elle ressentit à cet instant fut si forte
que le soufle lui manqua.

Mais naturellement, George était le marquis de
Darby ! Elle avait oublié sa méprisable vantardise et
son projet d'entrer en contact, au plus tôt, avec un
lieutenant de police pour le mettre aux trousses
d'Evans.

L'homme qui avait été chargé de cette mission
devait être celui qui attendait en ce moment même à la
porte.

— Mais comment a-t-il pu me découvrir ? s'écria
Marianna.

Aussitôt, M. Fulson, un solide gaillard, aux traits
lourds portant le gilet rouge propre à sa fonction, se
trouva devant elle.

— C'est grâce à ma propre habileté, *my lady,*
répondit-il avec un bon sourire teinté d'humour. Mais
vous devez être curieuse d'en connaître les détails !

Marianna, partagée entre l'amusement et la curiosité, lui assura qu'il avait vu juste.

— Eh bien, *my lady,* voyant que c'était le marquis
de Darby qui m'avait mis sur l'affaire, c'est à lui que
je me suis adressé, en premier, comme vous pouvez le
supposer.

Marianna retint son souffle. Ainsi, elle ne s'était pas trompée ! Cet homme avait été chargé de poursuivre John Evans, ce qui signifiait que dans quelques minutes elle allait peut-être savoir où il se trouvait.

— Comment est-ce que je pouvais imaginer, *my lady,* continua M. Fulson, avec volubilité, que le *gentleman* ne s'intéressait plus à l'affaire ? Il m'a pris par surprise, vraiment, quand il m'a dit de tout laisser tomber. « Ce n'est pas possible, monsieur, lui ai-je dit, vous le comprendrez bien, puisque j'ai l'adresse que vous désirez dans une poche et la facture dans l'autre. »

— Alors, il vous a renvoyé..., demanda Marianna, bouleversée en apercevant les deux papiers pliés dans la paume de sa main.

— J'ai réalisé que j'avais été trompé, *my lady,* continua M. Fulson avec détermination, et qu'il m'avait joué un tour ; j'étais dans une telle colère ! Je ne prends pas les boniments à la légère !

— J'en suis persuadée, murmura Marianna en cherchant son réticule. Elle prit l'argent nécessaire pour régler la facture et elle y ajouta une guinée. Merci et bonne journée !

— Pensez-vous que je puisse faire quelque chose d'autre pour vous, *my lady ?* dit M. Fulson d'une voix où perçait la déception, car on le renvoyait sans même lui donner une chance de finir son histoire. C'était plutôt vexant.

— Savez-vous où se trouve monsieur Evans ?

— L'adresse est juste sur le bout de papier, *my lady,* si vous voulez bien regarder. Il est ici, à Londres, et pas si loin d'où vous logez, comme vous pouvez le constater.

— Alors, vous avez fait du bon travail, lui assura Marianna, déconcertée par les palpitations de son pouls. Merci et au revoir.

Aussitôt la porte fermée derrière l'homme, elle déplia le papier avec des doigts tremblants. L'adresse ne signifiait rien pour elle, mais il se trouvait à Londres !

« Pas trop loin d'où vous logez, » lui avait dit M. Fulson.

Soudain, Marianna prit la décision de s'y rendre sans attendre. Mais pourrait-elle expliquer à John comment elle l'avait retrouvé ? Le lieutenant de police ne devait pas être mis en cause, ou alors il lui faudrait raconter toute l'histoire depuis le début, expliquer sa détresse de n'avoir pu empêcher le marquis de lancer la police à ses trousses. Quelles que soient ses explications, John penserait qu'elle l'avait pris pour un voleur.

D'un autre côté, se disait-elle, comment aurait-elle pu penser différemment ? Depuis qu'elle avait trouvé cette note sur sa coiffeuse, huit semaines auparavant, elle n'avait plus entendu parler de lui. Il comprendrait alors le trouble et le chagrin causés par son départ soudain et par la disparition des papiers de son père.

S'il avait jugé qu'il était préférable pour lui de ne pas rester à Burnham Hall, très bien. Mais, de là à ne plus donner signe de vie... A moins, naturellement, qu'il eût imaginé qu'elle était amoureuse de lui...

Consternée par cette hypothèse, Marianna rougit. Il était clair que plus elle tergiversait, plus elle retardait ses chances de le revoir... et, peut-être, de récupérer les notes de son père. Cela n'était pas possible. De plus, le moment était idéal. Elle pourrait attendre des

mois avant d'en trouver un meilleur. Kew Gardens
était suffisamment éloigné de la maison pour que les
ladies ne soient pas de retour avant trois heures, au
moins. Quant à ce qu'elle dirait à John, elle s'en
préoccuperait le moment venu ; oui, elle ne devait pas
perdre cette occasion inespérée !

La journée était chaude et il ne lui fut pas nécessaire de mettre une pelisse sur son ample robe noire du
matin. Lançant au passage un mot au maître d'hôtel
qu'elle rencontra dans le hall, Marianna quitta la maison, sous le prétexte de prendre l'air.

En réalité, elle héla la première voiture de louage
qu'elle vit et elle se fit conduire immédiatement par le
cocher à l'adresse indiquée sur le papier.

CHAPITRE XI

Bulton Street était une rue pauvre où s'alignaient des maisons dont les terrasses en briques avaient dû connaître des jours meilleurs. Cependant, elle ne ressemblait pas à une rue des bas quartiers à cause de la fraîcheur des rideaux que l'on pouvait voir aux fenêtres. Marianna n'hésita pas à descendre de la voiture, mais elle prit la précaution de dire au cocher de l'attendre.

La maison située au numéro huit n'était pas différente des autres, excepté que les escaliers semblaient avoir été cirés de près et le cuivre du marteau de la porte soigneusement astiqué. Une jeune femme, avec deux petits enfants qui pendaient à ses jupes, ouvrit la porte et, durant un affreux instant, Marianna pensa avoir trouvé l'explication de la fuite incompréhensible de John Evans de Burnham Hall. Se pouvait-il qu'il eût une épouse et des enfants ? Cela permettrait au moins de comprendre son départ de Cambridge. Etait-ce le besoin de venir en aide à une famille qui l'avait déterminé à accepter ce travail auprès de son père ? Ce serait donc la pauvreté et les responsabilités familiales de cet homme qui l'auraient conduit à emporter les notes, certainement pour les publier sous son nom et en recueillir les lauriers...

Tout ceci traversa son esprit comme un éclair, mais l'impression resta si vive qu'elle murmura sans pouvoir se retenir :

— Madame ?

La jeune femme au visage pâle rejeta d'une main ses cheveux en arrière, et elle fixa Marianna curieusement tandis qu'à ses pieds un des enfants commençait à gémir. L'odeur de la lessive en train de bouillir s'exhala de l'intérieur de la maison.

— Madame John Evans ? répéta Marianna.

Une lueur de compréhension éclaira les yeux de la jeune femme.

— Ah ! c'est John que vous désirez ? dit-elle avec un chaud accent *cockney*. Il n'y a pas, que je sache, de madame Evans. La porte se trouve juste à l'étage au-dessus. A droite. Vous n'avez qu'à frapper.

Le soulagement d'apprendre que cette famille n'était pas celle de John fut grand pour Marianna. En se trouvant devant la porte indiquée, elle réalisa qu'elle n'avait pas encore décidé ce qu'elle devait dire et lorsque la porte s'ouvrit, Marianna devint écarlate et elle faillit perdre son sang-froid.

John l'accueillit avec une aisance qui lui fit penser à Burnham Hall. Le salon dans lequel il l'introduisit était loin d'être aussi spacieux que la bibliothèque de son père. Mais l'atmosphère était bien semblable, à cause des livres qui s'alignaient le long des murs et des papiers qui, jusqu'au bord de la table, semblaient prêts à choir sur le parquet.

Avec amabilité, John la fit asseoir tout en lui

posant des questions sur la santé de sa tante et la sienne. Marianna lui répondait distraitement, les yeux fixés sur ces papiers : certainement ceux de son père ! De toute façon, elle allait demander la raison de son geste à John — question à laquelle il devait s'attendre.

Malgré son aisance, il devait être intrigué de cette visite. Et cependant, il paraissait tout à fait naturel. Comme si c'était la veille seulement qu'ils avaient marché tous les deux dans le jardin de Burnham Hall.

Elle se rendit compte que ses réponses automatiques ne pourraient pas durer plus longtemps et il y eut un silence. John se tenait debout, appuyé contre la cheminée, encore plus beau que dans son souvenir, avec ses épais cheveux tirant sur le roux et ses pommettes saillantes qui donnaient à ses yeux noirs une telle impression de profondeur.

— Je... je suis vraiment content de vous voir, Marianna, dit-il à voix basse. J'ai voulu très souvent vous écrire. La lettre que j'avais laissée n'était pas bien longue, car je l'avais écrite à la hâte.

Marianna lui fut extrêmement reconnaissante de n'avoir pas demandé comment elle avait pu se procurer son adresse. Mais, en parlant comme il le faisait, Marianna comprit qu'il lui donnait l'occasion de s'expliquer à ce sujet. Pour détourner son attention, elle parla de son propre étonnement quand elle avait appris son départ.

— Votre mot ne disait pas clairement pourquoi vous êtes parti si soudainement, murmura-t-elle.

C'était comme si chacun d'eux avait un obstacle à contourner. Il lui avait donné la possibilité de dire comment elle l'avait retrouvé et, maintenant, elle vou-

lait qu'il expliquât son départ inattendu d'une maison
qui était devenue la sienne... et surtout la raison pour
laquelle il avait emporté les papiers du duc.

Mais, de même qu'elle avait esquivé sa question, il
l'empêcha de poser la sienne. Murmurant quelque
chose à propos du thé, il s'excusa et se dirigea vers le
corridor, sans aucun doute pour parler à la logeuse.
Pour la première fois, Marianna fut consciente de
l'inconvenance de sa présence dans ces lieux. Elle se
leva en le voyant revenir mais ils commencèrent
immédiatement à parler.

— Excusez-moi, demanda John Evans. Que
disiez-vous ?

— Ce n'est rien, répondit Marianna. Continuez,
voulez-vous ?

— Non, non ! Vous devez parler la première.

Pendant un moment, ils se regardèrent simplement, et puis ils se mirent à rire, comme si à nouveau
ils étaient amis.

— Si vous voulez le savoir, confessa la jeune fille,
j'étais sur le point de m'en aller.

— Mais pourquoi ? Vous venez juste d'arriver et
le thé sera prêt dans un moment.

— Je me disais que je vous avais peut-être embarrassé en venant seule chez vous. Que doit penser votre
logeuse ?

— Madame Jackson est bien trop occupée avec
ses enfants pour s'inquiéter des règles de la bien-
séance, lui assura John, et si cela ne la gêne pas, pourquoi n'en ferions-nous pas de même ?

— Très bien, répondit Marianna, en s'asseyant
avec une affectation moqueuse. Et maintenant, monsieur, c'est votre tour.

— Je crains de ne pas vous comprendre, dit-il, comme s'il s'amusait.

Combien de fois, pensa Marianna, avaient-ils conversé sur ce ton badin, dans le passé. Beaucoup de choses restaient inexpliquées, elle en était consciente. Mais pour le moment, cette atmosphère détendue la rassurait.

— Je veux dire, monsieur, que j'ai parlé franchement et que c'est à vous de le faire, maintenant.

— Avant de tout nous dire, je propose que nous prenions ce thé que madame Jackson nous a préparé...

La logeuse qui arrivait, les bras chargés d'un lourd plateau, les trouva en train de rire ensemble. Loin d'être choquée, elle paraissait contente de la gaieté des deux jeunes gens et elle les laissa alors, leur souhaitant bon appétit.

Ils apprécièrent les *scones* chauds et odorants, bourrés de gros raisins, et les tartelettes croustillantes. Pour la première fois depuis la mort de son père, Marianna mangeait avec plaisir. Soudainement, avant qu'elle sût ce qu'elle faisait, elle se mit à raconter à John ce qui était arrivé le jour où il était parti de Burnham Hall, et elle commença à parler des papiers manquants. Il lui semblait juste aussi d'évoquer le testament et la question de la « substitution ».

John écoutait, ses yeux fixant intensément les siens. Maintenant, il ne souriait plus et son visage était impassible. Marianna brusquement se sentit stupide. Elle était sur le point de lui parler d'Harry Walker, mais les yeux de John étaient si froids, son attitude si distante, qu'elle réalisa qu'elle ne pouvait ajouter un mot.

Le silence s'installa — il se leva et alla s'accouder à la fenêtre et Marianna eut envie de s'enfuir. Il devait la prendre pour une folle. D'abord elle avait eu l'indiscrétion de lui demander de rester à Burnham Hall, le mettant ainsi dans l'obligation d'accepter. Ensuite, il avait exprimé très clairement qu'il n'entendait pas être ennuyé plus longtemps. Qu'avait-elle fait d'autre qu'arriver chez lui, à Londres, à l'improviste ? Il devait penser que cela n'avait pas dû être facile de le retrouver. Or, elle était restée muette à ce sujet ! Et maintenant, pour aggraver les choses, elle s'était refusée à converser avec lui sur un ton badin — ce qui, de toute évidence, devait être son désir. Elle avait essayé de le relancer dans ses problèmes, en lui parlant de la « substitution ».

Que devait-il penser d'elle ? Marianna porta une de ses mains à sa joue brûlante. Il devait la prendre pour une sotte, ou pis encore, imaginer qu'elle était amoureuse de lui ! Il avait tous les droits de le penser. Pourquoi était-elle venue ? Pourquoi avait-elle mis tant de zèle à retrouver sa trace ?

A nouveau, ses yeux tombèrent sur les papiers. C'était la réponse, naturellement. Elle ne devait pas oublier, même un instant, que c'était son seul but, son seul lien avec John Evans, la seule raison de sa venue ici. Et il devait le savoir, également. Elle avait déjà été beaucoup trop conciliante. De toute évidence, il ne semblait pas disposé à fournir l'information qu'elle venait chercher.

— Je ne sais ce qui m'a pris de venir vous importuner avec mes affaires de famille, dit Marianna froidement en se levant et en s'approchant de la longue table encombrée de papiers. Excusez-moi, je sais que vous devez vous demander quelle est la raison de ma visite.

John se tourna rapidement pour lui faire face, les yeux intrigués.

— Mais vous ne m'avez pas ennuyé, lui assura-t-il. Vous savez bien que vous ne pouvez m'ennuyer. Je pensais seulement, c'est une chose extraordinaire, n'est-ce pas que votre père...

— Nous n'allons pas parler de lui, je pense, interrompit la jeune fille. Certes il était très attaché à vous. Trop attaché même pour avoir été traité de cette façon.

— Je crains de ne pas comprendre, protesta John. Certainement quelque chose vous a mise en colère mais...

— Je ne suis pas fâchée contre vous, continua Marianna, seulement contre moi-même.

— Mais pourquoi ?

— Pour m'être laissée distraire du but de ma visite.

Elle s'interrompit, fixant la table.

— Mon travail ? s'écria John. Etes-vous en train de me dire que vous êtes venue ici parce que vous vous y intéressez ?

— Aussi extraordinaire que cela puisse paraître, oui, répondit Marianna sèchement. Mais, sûrement, cela ne devrait pas vous surprendre.

— Il se peut que je manque totalement de perspicacité, dit John à voix basse, mais je vous trouve confuse à l'excès. Et cela ne vous ressemble pas, Marianna.

— Je ne crois pas que vous sachiez ce qui me ressemble ou ce qui ne me ressemble pas, rétorqua Marianna. Vous avez réussi à détourner mon esprit de l'objet de notre conversation, n'est-ce pas ? Vous pouvez manquer de perspicacité, monsieur, mais vous êtes suffisamment intelligent. Cessez ce jeu, je vous en prie !

— Je ne joue aucun jeu, dit-il d'une voix étonnée.

— Dites-moi sur quel projet vous travaillez ? demanda Marianna. Verriez-vous un inconvénient à ce que je regarde certaines de vos notes ?

— Regardez-les toutes, répondit John, visiblement intrigué. Mais je ne comprends pas.

Marianna se dirigea vers la table. Pendant un instant, elle ne put rien voir car ses yeux soudainement se remplirent de larmes. Dix minutes avant, seulement, tout semblait être entre eux comme autrefois. Et maintenant, toute la chaleur de leurs retrouvailles avait été dissipée par sa suspicion. Elle essuya subrepticement ses larmes tout en pensant qu'elle allait découvrir la preuve irréfutable qui mettrait fin à toute amitié entre eux. A moins, naturellement, qu'il ne pût offrir une explication valable.

Prenant une des feuilles de papier, elle la regarda avec attention et vit qu'elle était couverte de plans ; il s'agissait d'un bâtiment dont les fondations et les lignes modernes n'avaient aucune ressemblance avec une quelconque cathédrale médiévale jamais édifiée.

Prenant une autre feuille, elle vit un intérieur qui paraissait être une classe d'école, car il y avait des ran-

gées de bureaux nettement dessinés et un plus grand
bureau, en face des autres, sur une estrade.

— Il me semble vous avoir dit, quand nous étions
à Burnham Hall, que je m'intéressais à la construc-
tion d'écoles gratuites pour les fils de pauvres, dit
John, sèchement. Mais je me demande comment vous
avez pu deviner que je travaillais à cette sorte de projet. En fait, vous ne l'avez pas deviné, car vous parais-
siez vous attendre à trouver quelque chose d'autre.
Qu'avez-vous ? Pourquoi êtes-vous si pâle ?

Des mains puissantes entourèrent ses bras, et elle
se trouva doucement assise sur une chaise.

— Quelle que soit la cause qui vous tourmente, il
serait préférable, je crois, que vous m'en parliez. (Ses
yeux foncés étaient près des siens et elle sentait sa respiration chaude sur sa joue.)

— Me reprochez-vous de ne pas être resté à Burnham Hall pour finir le livre de votre père ? Croyez-
moi, Marianna, il m'a été très pénible de laisser derrière moi à la fois mon travail et vous-même. Mais
votre tante avait raison. Il ne convenait pas que je
reste. Chaque jour, vous auriez été encouragée à ne
penser qu'à la mort de votre père, à continuer votre
travail comme s'il était vivant. Oui, et il y avait
d'autres raisons. Je...

Il s'interrompit ; Marianna lui prit la main.

— Est-ce que vous voulez dire que vous n'avez
pas pris les papiers de mon père ? demanda-t-elle.

— Que dites-vous ? s'écria-t-il avec incrédulité.
Naturellement, je n'ai pas les papiers de votre père.
Aviez-vous imaginé qu'en partant de Burnham Hall,
je les avais pris avec moi ?

— Ils ont disparu, dit Marianna simplement. Le jour même de votre départ.

— Disparu !

Libérant sa main, il alla vers la fenêtre. A travers les carreaux en losanges, le soleil brillait derrière lui, mettant son visage dans l'ombre. Mais, quand il parla, sa voix était glacée de fureur.

— Ainsi, vous êtes venue ici en croyant que j'étais un voleur !

— Je n'ai jamais cru cela, protesta Marianna. Je pensais que vous auriez pu les prendre afin de terminer le livre. J'imaginais que vous aviez voulu me dégager de ce fardeau.

— Quelle que soit la motivation, tout homme qui s'empare de quelque chose qui appartient à un autre, sans donner d'explication, est un voleur. C'est donc pour cela que vous êtes venue ici. Pas pour me voir, mais pour retrouver les papiers.

— Je n'arrivais pas à comprendre pourquoi vous n'écriviez pas, répondit la jeune fille. Vous auriez dû au moins envoyer une lettre, sinon à moi, du moins à ma tante. Nous n'avons plus entendu parler de vous. Aujourd'hui, quand le lieutenant de police m'a dit où vous étiez...

Elle s'interrompit en se mordant la lèvre. Mais il était trop tard. Il s'avançait lentement vers elle, et elle ne pouvait toujours pas voir son visage.

— Un lieutenant de police m'a retrouvé ? s'écria John Evans. Un lieutenant de police !

Soudainement, elle réalisa que les choses étaient allées trop loin. Elle n'aurait plus d'explication à lui fournir. Tout ce qu'elle dirait ne ferait qu'aggraver la situation.

— Je suis désolée, dit-elle en se pressant vers la porte. Et elle sortit en le laissant devant la table chargée de papiers, mais il ne semblait pas l'avoir entendue.

CHAPITRE XII

Jusqu'à ce qu'elle fût rentrée à Albemarle Street, Marianna avait réussi à garder le contrôle d'elle-même. Mais aussitôt qu'elle fut seule dans sa chambre, elle succomba au désespoir.

Elle se laissa tomber sur le tapis et elle couvrit son visage de ses mains. Soudainement, elle vit les choses telles qu'elles avaient dû apparaître à John. Elle semblait être venue à lui comme une amie, prenant le thé et riant avec lui. Et pourtant, pendant tout ce temps, elle avait l'arrière pensée qu'il avait volé les papiers de son père. Et elle avait mis un lieutemant de police à ses trousses !

Il ne fallait pas s'étonner de sa colère. Elle n'avait même pas eu le courage de lui donner la possibilité de se faire entendre d'elle ; elle s'était rendue chez lui sans invitation et elle l'avait ennuyé avec une longue histoire de famille qui ne pouvait intéresser que les personnes directement concernées, et puis elle l'avait insulté. Comment avait-elle pu être aussi folle ! Comment vraiment ?

Le désespoir fit place à la rage — rage dirigée non pas contre John, mais contre elle-même. Se levant, elle défit son bonnet et elle se jeta sur le lit. Oh ! si seu-

lement elle n'avait pas cédé à la tentation ! Si elle
n'avait pas agi impulsivement ! Elle aurait dû prendre
le temps de considérer les choses et savoir se montrer
plus circonspecte. Avoir traité John Evans, lui entre
tous, comme elle l'avait fait, était impardonnable. Le
simple rappel que son père lui avait fait confiance
aurait dû la mettre en garde. Comme elle était
contente de n'avoir pas pu distinguer son visage
quand elle s'était excusée ! Quel mépris elle aurait
alors vu dans ses yeux ! Cette pensée la fit frissonner.

L'homme qu'elle avait en face d'elle quelques instants auparavant n'était plus qu'un étranger. Car,
durant toutes ces semaines où il avait vécu à Burnham
Hall, elle ne l'avait jamais vu en colère, même pas une
seule fois. Vraiment, cela semblait étrange maintenant qu'elle y pensait. Il arrivait assez fréquemment à
son père de se fâcher ; elle-même s'était parfois laissée
aller à bouder... mais, John Evans était resté égal à
lui-même pendant tout son séjour. Il se comportait
aimablement et parlait toujours d'une voix douce.
Elle réalisa, avec beaucoup d'étonnement, qu'elle
n'avait jamais cherché à découvrir sa personnalité —
malgré l'amitié qu'elle avait pour lui.

Jusqu'à aujourd'hui. C'était bien étrange, pensa-
t-elle, que l'outrage eût changé l'homme, lui eût
donné une nouvelle dimension. Elle aurait pu en
savoir davantage, sur la personne qu'il était réellement, si elle avait eu le courage de rester. En ce
moment, l'affaire aurait pu être complètement éluci-
dée. Elle aurait dû expliquer à John que c'était
George qui l'avait accusé et qu'elle n'était pour rien
dans les recherches policières. Si le vrai John Evans
était aussi compréhensif qu'elle l'avait cru quand il

était secrétaire de son père, ils auraient pu parler de la disparition des papiers. Car si John ne les avait pas pris, quelqu'un d'autre l'avait fait.

Et soudain, elle se rappela ce qu'il lui avait dit juste avant de se mettre en colère par sa faute. Avant de parler du vol, il avait exprimé avec force combien le travail de son père méritait d'être terminé. Puis, il avait parlé de sa tante. De son départ de Burnham Hall comme étant la meilleure solution pour l'empêcher de ne penser qu'à son père.

Oui ! Pourquoi n'avait-elle pas eu cette idée plus tôt ? Sa tante était tout à fait capable d'avoir conseillé à John de partir. Tante Lucy ne voulait pas que sa nièce vécût dans le passé. N'aurait-elle pas, en conséquence, été capable de prendre les papiers ? De les cacher quelque part ? Pas dans l'intention d'accuser John, car Marianna se refusait à croire qu'il y eût de la malice en elle, mais en souhaitant seulement, sans doute, les mettre hors de sa vue. Dans son esprit, elle aurait pensé parvenir ainsi à les faire oublier à Marianna.

C'était une hypothèse raisonnable. Sa tante avait voulu que John s'en allât afin que Marianna pût commencer à oublier. Quelle cruelle erreur ! Marianna se devait de lui dire, mais elle ne soulèverait pas la question le jour même. Ce serait maladroit de parler d'une affaire aussi sérieuse, au moment où son équilibre n'avait jamais été aussi précaire.

En entendant les pas des chevaux dans la rue, la jeune fille se précipita à la fenêtre, juste à temps pour voir Evelyn descendre de la voiture avec l'aide du postillon. Derrière elle, venait Frances, dans sa robe de chuntz blanc et vert, avec le bonnet assorti, et enfin Lucy, le visage grassouillet plissé de sourires. Le cœur de Marianna se radoucit. Bien que sotte et mauvaise conseillère — comme sa tante pouvait l'être parfois —, elle ne méritait cependant pas d'affronter une accusation qui pourrait ne pas être justifiée. Elle avait fait une grave erreur de jugement aujourd'hui, une seconde serait impardonnable.

Ce fut à ce moment-là qu'il lui vint à l'esprit que personne ne pourrait être plus apaisante qu'Evelyn. Après tout, elle connaissait les détails de l'affaire — bien que Marianna n'eût jamais prononcé le nom de John devant elle — et il restait une heure ou plus avant le dîner.

Quelques minutes plus tard, la jeune fille fut chaleureusement accueillie dans le petit boudoir d'Evelyn.

— Ma chère, j'aurais aimé que vous soyez venue avec nous... mais, que vous est-il arrivé, Marianna ? Vous avez l'air tout à fait égaré. Est-ce que quelque chose ne va pas ? dit Evelyn en voyant la pâleur du visage de la jeune fille.

Marianna respira profondément :

— Vous souvenez-vous du jeune homme dont je vous ai parlé et qui était le secrétaire de mon père ? demanda-t-elle.

— Mais, naturellement, mon enfant. Il y avait un mystère concernant les papiers qu'il avait pris.

— Il ne les a pas pris, répondit Marianna. Oh ! j'ai commis la pire des erreurs !

Maintenant qu'elle avait commencé à parler, il

était impossible de s'arrêter. Et, comme elle l'avait
espéré, Evelyn l'écouta avec sympathie, sans lui faire
le moindre reproche. La folie de louer une voiture
pour se faire conduire dans un quartier de la ville qui
n'avait pas bonne réputation ne souleva aucun com-
mentaire de la part d'Evelyn ; elle n'en fit pas plus en
apprenant que Marianna s'était rendue, seule, dans
l'appartement d'un *gentleman* et y avait pris le thé.
Au contraire, Evelyn tendit ses bras à Marianna et
l'embrassa avec tendresse.

— Je comprends pourquoi vous êtes bouleversée,
ma chère enfant, murmura-t-elle en caressant légèrement les boucles noires de la jeune fille. Si cela peut
vous consoler, sachez que tout le monde commet de
temps en temps l'erreur de juger trop hâtivement.

— Mais il faut que je lui confesse mon erreur,
protesta Marianna, mon père était si attaché à John !

— Et vous aussi, je le pense, dit Evelyn doucement.

— Moi ? murmura Marianna. Oui, je le crois
aussi ! Comment ai-je pu jamais penser qu'un homme
comme John Evans avait commis une pareille action ?

Soudain, Evelyn attira à elle la jeune fille et la
regarda avec une étrange expression dans ses yeux gris
emplis de douceur :

— Evans ! répéta-t-elle, visiblement surprise. Est-
ce le nom de l'homme qui était le secrétaire de votre
père ?

— Que se passe-t-il ? demanda Marianna. Pourquoi me regardez-vous de cette manière ?

— Nous devrions toutes les deux nous rasseoir,
continua Evelyn. Il se peut que ce soit simplement une

coïncidence. Peut-être ai-je tort, mais je crois qu'il y a un certain nombre de choses concernant le passé qu'il faut que vous sachiez.

— Au sujet de John ? demanda Marianna sans chercher à cacher son trouble.

— C'est possible, répondit Evelyn avec calme. (Elle était devenue très pâle après avoir entendu le nom de John Evans).

— Laissez-moi vous dire, pour commencer, que Susan et moi, nous nous connaissions beaucoup mieux que je ne l'ai laissé entendre quand nous avons parlé d'elle. Durant mes visites à Burnham Hall, Susan et moi échangions des confidences et, quand je retournais à l'école, nous nous écrivions.

— Pourquoi avez-vous gardé le secret sur vos relations ?

— C'était le désir de Susan, répliqua Evelyn avec simplicité. Elle disait que, comme son père ne voulait pas lui donner son indépendance, chaque chose qu'elle lui cachait lui donnait du courage. Puis, un jour, elle quitta la maison.

— Etait-ce une histoire d'amour ? demanda Marianna ardemment, ne voyant pas où ce monologue allait mener.

— C'est la raison habituelle, lorsqu'une jeune fille s'enfuit de chez elle, dit Evelyn d'une voix douce. Mais, pour Susan, c'était différent — encore que votre grand-père n'ait pas voulu le croire. Elle m'écrivit — j'ai la lettre dans mon coffret en bois de cèdre — qu'elle ne pouvait plus supporter d'être traitée comme une enfant. Pour Lucy, tout allait très bien, disait-elle, parce que sa sœur ne se souciait pas de savoir si ses jugements étaient ou non tenus en haute estime. Son père n'avait donc aucune inquiétude à son égard. Susan, elle, savait qu'il se méfiait de ses capacités et qu'il n'aurait pas de répit tant qu'il ne lui aurait pas trouvé un mari convenable qui la dominerait, comme il le faisait lui-même.

Ce fut un long entretien et Evelyn serra les mains de la jeune fille très fort quand elle eut fini.

— Mais pourquoi a-t-elle fait cela ? dit Marianna. Si elle ne s'est pas enfuie avec quelqu'un, comment a-t-elle fait pour subvenir à ses besoins ?

— Essayez seulement de vous mettre à sa place, ma chère, reprit Evelyn, un pâle sourire sur les lèvres. C'est une étrange question venant de quelqu'un comme vous. Car vous lui ressemblez beaucoup, savez-vous. Beaucoup, vraiment. Cela m'a frappée la première fois que je vous ai vue.

— Mais, si j'avais été à sa place, répondit Marianna, incapable de réaliser si elle devait prendre pour un compliment l'affirmation d'Evelyn, je serais allée a Londres et je me serais placée comme gouvernante. Oui, c'est ce que j'aurais fait, bien que je pense que de telles situations soient souvent très pénibles.

Evelyn sourit avec approbation.

— Oui, c'est précisément ce que Susan a fait. Une querelle entre elle et son père précipita sa décision. Elle partit le lendemain matin. Une semaine après environ, je reçus une lettre me disant qu'elle avait été engagée par un ecclésiastique pour s'occuper de l'instruction de ses deux filles. J'étais rassurée. Le nom de l'ecclésiastique m'était connu comme celui d'un pasteur, très populaire dans la bonne société, et apprécié pour sa charité. Rassurée sur le sort de Susan, ai-je eu tort de garder le silence ?

— Non, vous n'avez pas eu tort du tout, répondit Marianna fermement. Comme je l'admire de s'être libérée si courageusement !

— Pensez-vous que vous auriez agi de même ?

— Pourquoi ? Les circonstances n'étaient pas semblables. Mon père n'avait aucun désir de régenter ma vie.

Durant un moment, Evelyn la regarda d'un œil pénétrant puis elle dit :

— Oui, je crois que vous le pensez, je suis certaine que vous admirez son courage. Mais il faut que je sois sûre que vous comprenez Susan, telle qu'elle demeure dans mon souvenir, pour vous confier ses secrets. C'est pourquoi j'avais hésité à tout vous dire quand nous en avons parlé la dernière fois. Je ne vous connaissais pas suffisamment pour être certaine que vous pourriez comprendre.

Ses yeux gris regardaient ceux de Marianna avec une attention soutenue.

— Je garderai pour moi ses secrets comme vous l'avez fait vous-même, répondit la jeune fille à voix basse. Pourquoi la trahirais-je ?

— Le fait est que Susan continua à m'écrire. Elle était très heureuse de son travail. Et elle avait changé de nom pour se protéger, dans le cas même improbable où son père déciderait de la faire rechercher.

— Mais il n'a pas essayé ! Ma tante dit qu'il désirait seulement l'oublier. Je ne peux le comprendre... elle aurait pu être malade... avoir besoin de lui ! Et cependant, il l'a reniée, et tout cela parce que...

Marianna s'arrêta en faisant un geste d'impuissance, comme si une telle conduite la dépassait — ce qui était vraiment le cas.

— Et tout cela parce que c'était un homme orgueilleux, ajouta Evelyn tristement. Il ne pouvait supporter la pensée qu'elle l'avait défié. Oui, cela en dit davantage sur son caractère que toute autre chose, je le crains.

— Mais Susan est restée en rapport avec mon père. Tante Lucy me l'a dit. Je sais aussi que je devrais appeler Susan « tante », car si elle vivait, c'est ce qu'elle serait pour moi. Mais je ne peux penser à elle autrement que comme à une jeune fille à peine plus âgée que moi.

— Elle vous aurait aimée, lui assura Evelyn. Elle continua à écrire à votre père. Lucy était une telle tête de linotte qu'on ne pouvait pas lui faire confiance. Mais votre papa était un bon frère pour Susan. Et, quand elle épousa le plus jeune fils du pasteur qui l'employait, James et moi en avions été informés.

— Et vous ne l'avez jamais revue ?

— Jamais. Il aurait été très facile pour elle de venir ici. Quand votre grand-père mourut, votre père aurait désiré qu'elle s'installe à Burnham Hall, mais elle refusa. C'était le seul point sur lequel elle était inflexible. Elle avait effacé cette partie de sa vie, ainsi que son nom.

— Son mari connaissait-il sa réelle identité ? demanda Marianna.

— Elle a dû le lui dire, car le mariage n'aurait pas été légal autrement. Et ils avaient certainement confiance l'un dans l'autre car ils s'aimaient infiniment. Comme son père, il était dans les ordres, mais il ne désirait pas célébrer l'office dans les paroisses à la mode. C'est pourquoi il commença à aménager un refuge pour les enfants abandonnés, près des chantiers navals. C'est alors qu'il contracta une méningite cérébro-spinale et qu'il mourut en très peu de temps.

Marianna respira profondément, mais avant qu'elle pût poser la question, Evelyn y répondit :

— En laissant un fils !

Il y eut un silence profond dans la chambre.

— C'est ce que j'aurais voulu vous dire, expliqua finalement Evelyn, les yeux fixés sur le visage de Marianna. Quand j'ai été mise au courant de la « substitution » de votre patrimoine, j'ai été tentée de parler. J'aurai pu informer monsieur Cavidor. Je suis restée en contact avec Susan jusqu'à sa mort, et j'ai fait des donations à l'école qu'elle avait fondée pour les fils des dockers, ensuite. Mais il me semblait que si j'en parlais à quelqu'un, j'aurais en quelque sorte...

— Trahi Susan ?

— Oui, ma chère. L'homme que Susan a épousé également. Son nom était : Evans.

Marianna porta ses mains à ses joues.

— Etes-vous en train de me dire que John Evans est son fils, s'écria la jeune fille d'une voix terrifiée.

— Je crains bien que ce soit cela, répondit Evelyn. Le fils de la pauvre Susan est l'héritier du père qui l'avait méprisée. Je me demande s'il le sait.

CHAPITRE XIII

Monsieur Hartshorn était un homme qui avait passé la plus grande partie de sa vie à se préparer à recevoir l'ultime récompense. Ce jour était arrivé, cinq ans auparavant, quand les directeurs de la banque à la mode de Regent Street, où il avait travaillé pendant vingt ans, l'avaient promu directeur administratif. A cet instant, M. Hartshorn s'était fait un serment, celui de ne jamais interpréter sa tâche autrement que littéralement et respecter scrupuleusement les règlements de sa banque. C'est ainsi qu'à son troisième rendez-vous avec M. Cavidor, il n'était pas plus décidé qu'au premier à contourner les lois de son petit univers, ne serait-ce que légèrement.

— Ce qu'il ne faut pas perdre de vue, dit-il, c'est que la rente annuelle, monsieur, ne fait pas partie des biens du domaine. Le défunt duc l'a établie au nom d'une autre personne et elle reste sa propriété, ainsi qu'à ses descendants, à perpétuité.

Monsieur Cavidor poussa un profond soupir.

— Et je vous ai dit, maintes et maintes fois, monsieur, que le défunt duc aurait désiré par-dessus tout que vous me fassiez savoir le nom de celui qui reçoit l'annuité.

— Les termes de l'acte stipulaient que les noms seraient tenus secrets, fit remarquer M. Hartshorn d'un air suffisant.

Il avait dépassé, il le savait, l'heure du thé, et il tenait par tous les moyens à mettre fin à cet entretien. Cependant, il ne lui déplaisait pas de montrer l'étendue de son pouvoir.

— Très bien, dit M. Cavidor, d'une voix lasse. Nous avons déjà assez discuté. Mais depuis notre dernier rendez-vous, il m'est venu à l'esprit que cette affaire pourrrait être résolue autrement. Il suffirait que vous soyez d'accord pour informer le bénéficiaire, quel qu'il soit, qu'une recherche est entreprise pour retrouver le plus proche parent mâle du duc.

Monsieur Hartshorn s'éclaircit la voix, longuement.

— Avant de refuser, monsieur, reprit le notaire, laissez-moi vous rappeler que vous ne manquerez pas à votre devoir. J'ai lieu de croire que la personne qui perçoit l'annuité pourrait bien avoir un juste droit à l'héritage. Vous lui feriez donc une grande faveur et...

— Je n'ai jamais dit que cette personne était un homme, répondit M. Hartshorn pompeusement. Et je n'ai pas l'habitude de faire des faveurs !

— Très bien ! rétorqua M. Cavidor en se levant. Je me retire, monsieur, mais avant de le faire, il serait bon que vous preniez en considération ceci : votre banque ne gère pas seulement ce don, qui je crois n'est qu'une petite affaire, mais aussi une somme d'argent considérable pour l'entretien du duché des Worthington.

— Je suis au courant de cela, monsieur, répliqua M. Hartshorn en polissant ses ongles sur son gilet brodé.

— Alors, vous devez savoir aussi que mon étude a toujours joué un rôle important en ce qui concerne les conseils au duc en matière d'investissement. Je vous informe que le prochain héritier, quel qu'il soit, ne continuera pas nécessairement à dépendre de vous. Ce serait bien malheureux si nous étions forcés de l'aviser que son argent serait plus sûrement investi dans un autre établissement bancaire.

Monsieur Hartshorn fit un bond hors de sa chaise ; son visage était écarlate.

— Etes-vous en train de me menacer, monsieur, demanda-t-il.

— Je réponds de la seule façon susceptible de vous faire comprendre. Les choses, je le crains, tourneront à votre désavantage, si vous refusez de nous aider... D'un autre côté, s'il est exact que le bénéficiaire de cette annuité a un droit sur le domaine — s'il s'agit bien d'un homme —, alors vous gagnerez le bon vouloir du futur duc de Worthington. Pas une petite affaire du tout, monsieur ! Pas une petite affaire quand il s'agit de milliers de guinées et de livres sterling !

De toute évidence, le cœur de M. Hartshorn avait été finalement touché.

— Je peux compter sur votre discrétion, n'est-ce pas, monsieur ? demanda-t-il, toute trace de condescendance ayant disparu de son visage.

— Vous le pouvez.

— Eh bien, voyons les choses ainsi alors. La « pension », comme vous dites, n'a pas été retirée le dernier trimestre, et il se pourrait que personne ne vienne ce trimestre également.

— Que signifie ceci ? Avez-vous une raison de croire que le bénéficiaire est mort ?

— Je ne crois pas que ce soit le cas, lui dit le banquier en se frottant les mains.

— Et vous ne pouvez vraiment pas me dire le nom de cette personne ?

— Vraiment, je vous l'aurais révélé immédiatement si j'en avais le droit, lui assura le banquier, le visage crispé.

— Comme vous le savez, ce serait l'intérêt de nous tous s'il s'agissait de l'héritier.

— Bien, dit M. Cavidor, vous ferez ce que vous pourrez et je continuerai mes recherches. Mais si cette personne apparaissait à votre banque...

— Chaque employé sera prévenu. Dès son arrivée, il sera sur-le-champ introduit dans mon bureau, monsieur, immédiatement ! Je n'ai pas de doute, pas de doute du tout, qu'il sera extrêmement reconnaissant ! Ce sera une plume à mon chapeau, monsieur !

Laissant le *gentleman* rêver, M. Cavidor s'en alla. Aussitôt que la porte se ferma derrière lui, il se mit à fredonner un petit air. Non seulement il avait un allié en M. Hartshorn, mais il avait appris un détail d'une importance considérable, le banquier ayant oublié de censurer l'usage des pronoms dans son excitation. Ce n'était pas une petite chose, se dit M. Cavidor, de savoir que le bénéficiaire était du genre masculin.

A l'instant même où le notaire se complimentait, John Evans marchait de long en large dans son petit salon. La rage qu'il avait ressentie quand Marianna l'avait informé qu'on avait retrouvé sa trace, grâce à l'intervention d'un lieutenant de police, et en apprenant qu'elle l'avait cru responsable de la disparition des notes de son père était toujours aussi vive, bien qu'un certain temps eût passé depuis. Il pourrait lui trouver des excuses — n'importe quelle excuse — mais jamais il n'oublierait qu'elle était venue chez lui, certaine de le trouver plongé dans les notes de son père.

En se versant un verre de vin clairet, il envisagea ce qu'il devait faire en ce qui concernait la jeune fille. Bien sûr, elle s'était excusée en partant, et elle avait vu, de ses propres yeux, que les papiers n'étaient pas ceux du duc ; mais, il n'en restait pas moins qu'elle l'avait fait rechercher comme un vulgaire cambrioleur.

Disparaître de sa vie en espérant qu'elle conservait de lui un souvenir agréable était possible ; il n'en était pas du tout de même de vivre en pensant que quelque chose de définitif les séparait l'un de l'autre.

Posant son verre sur la table, John Evans s'assit sur une chaise. Mais ce n'était pas tout. Plus sérieuse encore était la question des notes manquantes. Il savait bien qu'il ne les avait pas emportées, quoi que les autres en pensent. Quel inconnu avait donc pris la peine d'emporter cette masse de papiers ? Marianna elle-même, de toute évidence, ne savait pas où ils se trouvaient. Greyson pouvait, John en était sûr, défendre ce qui appartenait à son ancien maître, au péril de sa vie. Il ne restait plus que : *lady* Mannering.

— Mais, naturellement ! murmura le jeune homme en se dressant sur ses jambes. Elle était coupable, évidemment ! Pour une écervelée comme elle, l'importance de ces notes n'avait pas dû troubler sa conscience. Dans l'esprit de Lucy, elles ne représentaient qu'une raison pour Marianna de rester à la maison, pour ne pas aller à Londres. C'est pourquoi *lady* Mannering lui avait demandé de partir. Tous les liens de Marianna avec le passé devaient être brisés. Impitoyablement, si nécessaire.

Fort heureusement, il découvrit, après quelques minutes de réflexion, qu'il se souvenait pratiquement de chacun des mots que Marianna et lui avaient échangés cet après-midi-là, y compris le nom et l'adresse de son hôtesse.

C'est ainsi que vers neuf heures, ce soir-là, il souleva le heurtoir en forme de tête de lion d'Albemarle Street.

Le valet qui ouvrit eut l'air fort embarrassé quant à savoir s'il convenait d'introduire un visiteur à cette heure de la nuit. Par bonheur, Marianna, qui s'était retirée après le dîner sous le prétexte d'une lettre à écrire, traversait le hall au même moment. Déguisant sa stupéfaction de voir à la porte la personne même à laquelle elle destinait sa missive, elle fit entrer rapidement John dans le petit salon et elle ferma la porte. Son cœur battait fort quand elle se tourna vers lui.

— Je... j'étais sur le point de vous écrire une lettre, dit-elle simplement. (Elle s'arrêta, ne sachant de quelle manière s'y prendre, et cependant désirant paraître calme.)

Elle était émouvante dans sa tunique de soie noire, un fichu de dentelle blanche autour de son cou, ses cheveux bruns coiffés en boucles souples descendant naturellement sur ses épaules. Mais John ne se rappelait qu'une seule chose : elle l'avait cru capable de voler — et les muscles de son visage se contractèrent visiblement à cette pensée.

— Je crois que toute discussion entre nous est désormais inutile, *my lady,* commença-t-il avec une grande froideur. Il est néanmoins nécessaire que je voie votre tante à propos d'un sujet présentant une certaine urgence.

Marianna le fixa, intriguée :

— Ma tante ? murmura-t-elle. Mais pourquoi ?

— C'est une question que je préfère discuter avec elle, répondit John. Sans aucun doute, elle vous informera de la nature de ma visite dès que je serai parti.

— Mais elle ne sait rien ! s'écria Marianna en s'enfonçant dans une chaise à bascule et en croisant ses mains. J'ai découvert la vérité moi-même, peu de temps avant le dîner.

John Evans fronça les sourcils.

— Etes-vous en train de me dire que vous savez où sont les papiers ? demanda-t-il impatiemment.

— Les papiers ?

— Les papiers de votre père ! C'est la question essentielle.

— Oh, non ! s'écria Marianna. C'est quelque chose de tout à fait différent. Je sais qui vous êtes. Evelyn, notre hôtesse, était la confidente de votre mère. Elle a gardé le silence pendant toutes ces années, mais quand j'ai dit que j'étais allée vous voir — quand j'ai mentionné votre nom —, elle m'a tout dévoilé.

Brusquement, le jeune homme s'écarta d'elle, le visage bouleversé.

— Pourquoi n'avez-vous rien dit quand je vous ai parlé de la « substitution » du domaine, cet après-midi. *Vous savez bien que vous êtes l'héritier de la fortune de mon père !* Et papa ! Il ne pouvait pas l'ignorer. Alors, monsieur, dites-moi la vérité, je vous en prie !

— D'abord, je voudrais l'assurance que vous garderez pour vous la totalité de ce que je vais vous apprendre, répondit John après quelques secondes d'hésitation. Sinon, je quitterais le pays, pour une destination inconnue...

Marianna se raidit et acquiesça de la tête.

— Cela peut être dit brièvement, continua le jeune homme à voix basse. Est-ce que je me trompe en pensant que vous savez déjà pourquoi ma mère a quitté Burnham Hall ?

— C'est qu'elle ne supportait pas d'être sous le joug de grand-père, murmura Marianna.

John alors commença à raconter, la voix chargée d'émotion :

— Lorsque mon père mourut, le duc de Worthington proposa à ma mère de venir vivre avec elle. Elle refusa, car sa vie était à Londres, auprès des pauvres. Une annuité fut établie, dont ma mère disposa avec reconnaissance, car elle servait à me faire vivre et à m'instruire. Ce qui lui permettait de continuer le bon travail de mon père. Quelquefois, une partie de l'argent allait aux pauvres.

— Est-ce que votre mère était restée en rapport avec mon père dans les années qui suivirent ? demanda Marianna, en essayant de garder une voix calme et détachée.

— Il ne lui restait pas beaucoup d'années à vivre, répondit John tristement. Et elle mourut quand je n'avais que sept ans, quelques mois après mon père, victime de la peste. C'est au duc de Worthington que je dois d'avoir été envoyé dans une école. De temps à autre, votre père venait me voir, mais je ne suis jamais allé à Burnham Hall. Mes vacances se passaient au bord de la mer ou dans des randonnées à pied avec un précepteur.

— Mais ceci ne ressemble pas du tout à papa ! protesta Marianna. Il n'aurait pas été si cruel.

— Ce n'était pas de la cruauté, lui assura John. Il suivait son code de l'honneur. Ma mère avait montré qu'elle n'acceptait cet argent que pour me faire vivre et m'éduquer. Et elle avait stipulé clairement que ni elle ni moi ne devions aller dans un lieu où elle avait été autrefois si malheureuse. Même quand elle mourut, votre père n'a rien fait contre sa volonté.

— C'est si difficile de comprendre, dit Marianna à voix basse. J'ai toujours cru que papa et moi étions très proches l'un de l'autre. Et cependant, il ne m'a jamais dit certaines choses importantes, comme si on ne pouvait pas me faire confiance.

— Vous ne devez pas vous tourmenter avec de telles pensées, répondit John d'une voix plus douce. Je suis sûr qu'il se serait ouvert à vous au bon moment. Quant à la clause du testament, d'après ce qu'il m'en a dit, il pensait que vous seriez mariée bien avant qu'il ne meure et il avait la certitude que vous auriez un fils.

— Mais il ne m'a rien révélé à ce sujet, rétorqua Marianna. Il vous a amené à Burnham Hall sous une fausse idendité !

— Pas complètement, lui rappela John. Je suis un médiéviste. Tout cela est vrai.

— Vous étiez surtout son héritier ! s'écria Marianna. C'est inutile ! Sans doute vous voulez ar-

rondir les angles pour m'épargner. Mais il y a des con-
tradictions. Vous venez juste de dire que, lorsque
vous étiez un garçonnet, il ne vous a jamais amené à
Burnham Hall parce que cela allait contre le désir de
votre mère. Et cependant, dès que vous avez terminé
vos études à l'université, c'est le premier lieu où il
vous a demandé de venir.

— Seulement parce que j'étais en âge de prendre
mes propres décisions, dit John gravement. Je sais
maintenant que j'aurais mieux fait de refuser de le
rejoindre. Mais je lui devais tout. L'erreur que j'ai
commise, c'était de croire que je lui devais également
mon avenir.

— Je crains de ne pas comprendre, murmura
Marianna — bien qu'un soupçon commençât à naître
dans son esprit, un soupçon qui la fit frissonner.

— Ne pouvez-vous pas deviner ce qui était dans
l'esprit de votre père ? lui demanda John. Il tenait
profondément à deux choses : votre protection, d'une
part et Burnham Hall, d'autre part. Il ne pouvait être
tout à fait sûr que vous souhaiteriez y vivre toujours.

— Ne continuez pas, je vous en prie !

En un instant, elle vit les choses clairement. *Seule
une union entre l'homme qui était son héritier et sa
seule fille pourrait la protéger à vie*. Son père avait
amené John dans ce but. Il avait dû espérer que
l'amour naîtrait entre eux. Et John s'était conformé à
ses désirs. Mais seulement jusqu'à un certain point.

Une fois qu'il l'avait connue, il avait dû réaliser
qu'il ne pourrait jamais la chérir comme sa femme.
Sans aucun doute, il avait dû envisager de partir
quand le livre serait terminé. Mais la mort inattendue
de son père l'avait jeté dans une situation trop embar-

rassante pour être supportée. Au moment de lui dire
la vérité sur lui et de lui demander sa main, il avait
préféré partir sans un mot. Il n'y avait qu'une explication : la pensée d'un mariage avec elle lui avait paru
impossible.

L'humiliation se mêla au désespoir : en allant à la
recherche de John, elle l'avait placé dans une situation insoutenable. Quand elle l'avait retrouvé et qu'il
avait découvert qu'elle savait la vérité, il avait été
obligé de lui faire part de son intention de quitter le
pays si elle soulevait la question de son identité en tant
qu'héritier.

En essayant de garder le contrôle d'elle-même, elle
se leva et elle se dirigea vers la porte du salon.

— Vous avez rendu les choses tout à fait claires,
dit-elle d'un ton calme. Ne dites pas un mot de plus, je
vous en prie. Soyez assuré que je ne révélerai pas votre
identité puisque tel est votre désir. Quant aux papiers
de mon père, le lieu où ils se trouvent est mon affaire
et mon affaire à moi exclusivement ! C'est la seule
condition que j'exige. Vraiment, je n'aurais jamais
pensé que j'aurais à imposer quelque chose.

Il essaya de parler, mais elle ouvrit la porte.

— Le maître d'hôtel vous raccompagnera, monsieur, continua Marianna. Vous m'obligeriez en partant immédiatement.

Et alors, sentant qu'elle ne pouvait plus se contrôler, elle se pressa vers la porte du hall obscur et elle
monta rapidement les marches de l'escalier.

CHAPITRE XIV

Le lendemain matin à onze heures, Marianna et Lucy quittèrent précipitamment Londres pour Burnham Hall. Installée dans le siège en cuir du coche, la jeune fille essaya, en vain, de s'assoupir. Cependant, elle gardait les yeux fermés, feignant le sommeil, afin d'éviter la conversation de sa tante.

Les pensées se bousculaient dans son esprit, sans réussir à trouver l'explication de l'attitude de John. Et elle, pourquoi avait-elle tant de peine ? Elle était certaine de ne pas aimer son cousin ; alors, comment peut-on être blessée aussi cruellement par quelqu'un que l'on n'aime pas d'amour ?

Au-delà de l'humiliation et de la peine, le ressentiment prenait place. Elle savait qu'elle devait accepter. A cause de l'entêtement de John, le domaine tomberait sûrement entre les mains d'un homme qui n'hésiterait pas un instant à le brader pour payer ses dettes de jeu. Elle avait réalisé, la nuit précédente, que John n'était pas au courant de ce fait. Et elle s'était levée de son lit pour s'asseoir devant l'écritoire, une plume d'oie à la main, maculant de taches d'encre feuille après feuille. Elle se creusait la tête pour décider si elle devait écrire à John pour lui parler de l'autre préten-

dant. Quelque chose lui disait qu'il devait se croire le
seul descendant mâle vivant, et que s'il ne revendi-
quait pas ses droits, elle serait l'héritière du patrimoine.

Mais, à la fin, elle ne put écrire. Il avait touché son
amour-propre de telle façon qu'il lui était impossible,
maintenant, d'implorer pour qu'il acceptât le titre.
Elle était parvenue à une autre conclusion : elle ne
supplierait jamais un homme pour quoi que ce soit.
Ni aujourd'hui ni demain. Elle cesserait d'y penser.

C'est sur cette pensée que Marianna avait dû
s'endormir, car soudainement, en ouvrant les yeux,
elle vit que la voiture pénétrait dans le parc familier.
Elle reconnut la route bordée de grands hêtres dont les
branches supérieures se rejoignaient et dont les feuilles rousses cachaient le soleil dans le ciel ; puis la maison apparut, ses ailes recouvertes de lierre l'enlaçant
comme des bras.

Quand les chevaux s'arrêtèrent, Marianna, les
yeux fatigués, crut, durant un moment angoissant,
qu'elle voyait son père descendre les larges marches.
Le soleil couchant lui brouillait la vue... ce n'était que
Greyson.

— La comtesse est dans le salon, *my lady*, dit-il
avec une lueur d'inquiétude dans les yeux.

— Mais ce n'est pas possible ! s'écria Marianna,
monsieur Walker se trouve à Londres !

— Mademoiselle me pardonnera-t-elle si je parle
franchement ?

— Quand donc avez-vous parlé autrement, lui
rappela Marianna.

— Je crois que la comtesse et monsieur Walker se sont disputés, poursuivit Greyson d'un air de conspirateur. Des voix se sont élevées — c'est le moins que l'on puisse dire. C'était un jour de la semaine dernière et, le lendemain matin, monsieur Walker partit pour Londres pour affaires.

— S'il peut appeler cela affaires ! murmura Marianna.

— Vous disiez, *my lady* ?

— Mieux vaut que vous le sachiez ; monsieur Walker a déjà essayé de soutirer de l'argent à des prêteurs, sur ses espérances, dit Marianna en se dirigeant vers l'entrée de la maison. Il aura ainsi les moyens de jouer et de payer ses dettes passées. C'est cela qu'il appelle ses « affaires ».

Elle monta lentement les escaliers familiers, laissant courir sa main gantée sur la balustrade, en se souvenant combien de fois elle avait glissé le long de cette même rampe. C'était sa maison — elle était toujours l'hôtesse ici et le serait encore pour quelques mois. Une des décisions qu'elle avait prises, la nuit dernière, était que chaque jour où elle pourrait empêcher Harry Walker de dilapider les biens auxquels son père tenait tant serait un jour de gagné ; même si cela ne revenait qu'à retarder l'inévitable.

Le maître d'hôtel ouvrit la porte et murmura des paroles de bienvenue et, tandis que Marianna fixait la lumière grise du grand corridor, Gabrielle se précipita sur elle, en un tourbillon de soie rouge, de bouquets de dentelles et de parfums odorants.

— Mon amie ! s'écria-t-elle. Comme je suis contente de vous voir. J'avais cru que vous étiez partie à cause de moi. Une telle maison pour y être toute seule !

— Tiens ! continua Gabrielle quand elles furent installées confortablement sur le sofa. J'ai attendu votre retour avec tant d'impatience ! J'ai trouvé très mal de la part d'Harry de s'installer ici avant que les choses ne soient réglées. Je n'ai pas manqué de lui rappeler sa chance qu'il n'y ait aucun héritier plus proche que lui, et j'ai ajouté qu'il n'était pas correct de sa part de venir ici sans prévenir et de chagriner sa charmante cousine.

— Je ne suis pas chagrinée, je vous assure, protesta Marianna.

— Allons donc ! Mais naturellement que vous devez l'être ! Perdre tout de cette manière ! Ne prétendez pas avoir un tel sang-froid, mon amie, cela n'est pas possible.

Malgré elle, Marianna sourit. Il y avait quelque chose de si éclatant dans cette beauté mûrissante qu'elle ne put s'empêcher d'être amusée. Comment, se demandait-elle, une si charmante personne pouvait-elle consentir à devenir l'épouse d'Harry Walker ?

— Harry est à Londres, annonça Gabrielle en fronçant les sourcils. Il va, sans aucun doute, revenir bientôt. Quant à moi, je ne serai pas là à son retour. Si je n'avais pas tant désiré vous revoir, je serais partie depuis bien des jours.

— Je ne comprends pas, dit Marianna surprise. Pourquoi partiriez-vous alors que monsieur Walker a l'intention de revenir ?

— J'ai oublié que vous n'étiez pas au courant !

s'écria Gabrielle en se donnant une tape sur le front avec la paume de l'une de ses mains ravissantes. Nos fiançailles sont rompues. Voyez, je n'ai plus de bague au doigt. Ah ! ce fut un moment tragique, mais j'ai bien ri de le voir ramper sur le parquet pour retrouver la bague que j'avais lancée.

— Je pense que vous avez bien fait, répondit Marianna d'un ton approbateur.

— De lancer la bague ?

— Non, non. De rompre vos fiançailles.

— Ah ! mais ce n'est pas moi qui en ai pris l'initiative ! répliqua Gabrielle, en secouant énergiquement ses boucles. Je l'aurais épousé, mais seulement après avoir acquis le titre, vous comprenez. Nous devions faire tous les deux un mariage de convenance, c'est ce qui est le mieux. N'êtes-vous pas d'accord ?

— Je crains de ne pas comprendre. Vous dites que vous n'avez pas choisi de mettre fin à vos fiançailles.

— Je ne suis pas aussi écervelée qu'il y paraît, lança Gabrielle. Voilà ! Tout ceci devait lui appartenir bientôt. Une maison noble. Un titre. C'est pourquoi j'avais consenti à venir avec lui de Paris.

— Naturellement, murmura Marianna, si vous le dites, ce doit être vrai.

— Quelle autre raison aurais-je eu d'accepter de me marier avec un homme tel que Harry Walker, déclara Gabrielle, détachant chaque syllabe du nom, avec mépris. Un mauvais sujet, n'est-ce pas ?

Marianna fit un signe de tête affirmatif — car on ne pouvait nier que son cousin semblât être un individu peu recommandable, vraiment.

— Non ! continua Gabrielle, toute fraîche et dispose maintenant. C'est lui qui a rompu avec moi, et tout cela à cause d'une lettre qu'un ami de Paris lui a écrit disant que... que je n'avais pas de sang royal dans mes veines !

Elle étendit son bras et découvrit son poignet blanc, comme si un filet de sang allait en jaillir à n'importe quel moment, pour prouver sa noble appartenance.

— Mais sûrement ceci n'a pas d'importance, murmura Marianna.

— Bah ! votre cousin est un snob. Est-ce bien le mot anglais qui convient ? C'est ce qui l'attire, mon sang bleu ! Pendant des mois, il m'a sollicitée... Mais, naturellement, je ne voulais rien entendre..., jusqu'au jour où il me fit part des clauses du testament. Nous nous comprenions, Harry et moi. C'est pourquoi je ne peux pas le blâmer, même si ce qu'on lui a dit n'est pas la vérité.

Marianna savait qu'elle aurait dû être choquée par ce manque de scrupule, vulgairement affiché ; mais au lieu de cela, il lui fallait faire de gros efforts pour ne pas rire. Elle aurait souhaité être une souris cachée dans un coin, au moment où Harry Walker avait déclaré son désir de rompre à la comtesse et quand celle-ci, pour toute réponse, lui avait envoyé sa bague à la figure. Même s'ils paraissaient dignes l'un de l'autre, elle ne pouvait s'empêcher pourtant d'être sincèrement contente de savoir que la comtesse ne serait pas la femme de Harry Walker.

Elle était si absorbée dans ses pensées qu'elle entendit à peine ce que Gabrielle était en train de dire, mais quand les mots pénétrèrent dans son esprit, elle poussa un cri et, saisissant la main de la comtesse, elle lui demanda :

— Voulez-vous répéter ce que vous venez de dire !
Gabrielle sourit avec délices.

— Vous êtes surprise, non ? Je pensais que vous le
seriez. N'est-ce pas une nouvelle extraordinaire ? Il ne
sait pas que je suis au courant. Il avait trop bu et il
perd totalement le contrôle de lui-même lorsqu'il est
ivre.

— Répétez ! s'écria Marianna, répétez ce que
vous avez dit avant, je vous prie.

— A partir du moment où je vous ai dit qu'Harry
est un enfant adopté ?

— Oui ! oui, c'est cela même ! dit Marianna dans
un état d'excitation intense.

— Voilà ce qu'il en est. Sa mère était la sœur de
votre grand-père... une fille très indépendante qui
s'est mariée comme bon lui plaisait. Elle eut un
enfant, qui mourut tout petit. Son mari, très attristé,
trouva un bébé à adopter. Et voilà !

— Cela signifie, je pense, qu'il n'héritera pas,
ajouta Gabrielle avec un sourire triomphant. Et, c'est
très bien ainsi. Un homme comme Harry, qui fait si
peu de cas du sang noble, ne devrait jamais posséder
une fortune. De plus, il aurait joué tout ce qui vous
appartient et il aurait tout perdu très vite. Et, à moins
que le vin ne devienne difficile à trouver, des hommes
tels que Harry boivent jusqu'à en mourir. C'est dans
votre intérêt que j'ai écrit à monsieur Cavidor.

— Vous... vous avez fait quoi ? s'écria Marianna,
en haletant.

— Le charmant Greyson m'a donné le nom et
l'adresse quand j'ai parlé du notaire, répondit
Gabrielle qui s'enfonça gracieusement dans le sofa,
une fois son extraordinaire confidence achevée.

— Et, quand cela s'est-il passé ?

— Je me suis décidée seulement hier, lui assura la comtesse. Il fallait, en premier lieu, me persuader que ce que j'allais faire était « comme il faut ».

Impulsivement, Marianna l'embrassa.

— Je vous suis redevable, commença-t-elle...

— Ah ! vous ne le serez pas longtemps, mon amie, rétorqua Gabrielle. Je demande seulement la permission de rester ici jusqu'au retour de Harry. Il ne m'a pas donné son adresse, vous savez, et c'est pour cela que je ne peux lui écrire la bonne nouvelle. De plus, je désire voir son visage quand je jouerai la dernière carte. Ai-je dit cela correctement « jouer la dernière carte » ?

— Oui, oui ! lui répondit Marianna avec un enthousiasme qu'elle n'avait pas ressenti depuis bien longtemps. Vous devez rester. De plus, je dois vous l'avouer, je voudrais, moi aussi, voir son visage.

CHAPITRE XV

Marianna et *lady* Mannering descendirent dès qu'elles apprirent l'arrivée de Harry Walker. La vicomtesse se posta dans le corridor près de la porte du petit salon dans lequel la comtesse et monsieur Walker étaient enfermés.

— Quel imbroglio ! murmura Lucy en s'accrochant au bras de sa nièce. Je ne crois pas impossible qu'il lève la main sur elle. En vérité, je l'ai entendu en exprimer le désir, il y a seulement un moment.

La voix d'un homme hurlant parvint à leurs oreilles. Puis, il y eut un silence, rompu bientôt par le *staccato* de la comtesse.

— Voulez-vous que j'intervienne, *my lady* ? demanda Greyson, arrondissant ses frêles épaules de manière belliqueuse. Si vous pensez que la comtesse a besoin de la protection d'un homme, je vous assure...

— J'espère que cela ne sera pas nécessaire, Greyson. La dame en question est tout à fait capable de se défendre elle-même.

Elle s'arrêta car la voix de Harry s'enflait dans un rugissement. Les mots de « traîtresse » et de « scélérate » furent entendus. Marianna fronça les sourcils. Après un moment de réflexion, la jeune fille s'approcha de la porte et, sans frapper, entra dans la pièce.

Il y avait près de la fenêtre une très belle table en chêne qui semblait exercer une attraction particulière sur Harry Walker, car il y assena un fort coup de poing... et il aurait recommencé si l'entrée soudaine de Marianna ne l'avait figé sur place. Durant une longue minute, il fixa Marianna ; son visage était écarlate et les veines de son front ressortaient. Et alors, murmurant quelque chose qu'elle ne put entendre, il s'affaissa sur une chaise et couvrit ses yeux de sa main.

— Pauvre Harry, dit Gabrielle, debout près de la cheminée. (Elle paraissait un peu plus pâle qu'à l'ordinaire, mais ne semblait pas plus émue pour autant.) Je crains, mon amie, qu'il ne le prenne très mal. Mais il est normal qu'il soit désolé. Imaginez seulement ; il était venu dans le but de trouver des objets de valeur afin de les emporter à Londres pour les mettre en gage.

— Mégère ! lança-t-il avec haine comme s'il crachait l'injure.

— Il a dû perdre aux cartes, poursuivit Gabrielle imperturbablement. Il m'a dit tout cela avant que je ne lui annonce la bonne nouvelle. Ah ! il n'était pas content de me voir encore ici. Où pensait-il que je pouvais aller, alors qu'il ne m'a pas laissé un centime. Quel chenapan, en vérité !

— Chenapan ! hurla Harry Walker. Qui traitez-vous de chenapan, madame ? Nom d'un chien ! Quel droit avez-vous de fourrer votre nez dans mes affaires ?

— C'était une façon de passer le temps durant votre absence, rétorqua Gabrielle en faisant bouffer ses jupes d'une manière qui était à elle seule une insulte. C'est ce à quoi un roué tel que vous pouvait s'attendre. Et, de plus, je me suis beaucoup attachée à Marianna. Quelle sorte de femme aurais-je été si je vous avais permis de la duper.

— Mégère ! répéta Harry Walker, hors de lui.

— Il est inutile d'employer un tel langage dans ma maison, dit Marianna froidement, admirant le sang-froid de la comtesse, mais désirant que certaines limites ne fussent pas dépassées.

Immédiatement la rage de Harry Walker tourna et de feu devint glace. Les yeux fixés sur Marianna, il sortit un flacon de la poche intérieure de son habit de cavalier et en versa le contenu dans sa gorge.

— Prenez garde, *my lady*, lança-t-il d'une voix basse et menaçante. Si vous croyez que vos problèmes seront résolus sur un mot de cette femme, vous vous trompez et drôlement. Quelle preuve possédez-vous dc la vérité dc scs propos ?

— Et quelle preuve avez-vous que ce n'est pas la vérité ? rétorqua Marianna.

— Touché ! s'écria la comtesse en claquant des mains, ravie.

— Récusez-vous, dit Walker d'un ton hargneux.

— C'est à vous de vous récuser, monsieur, déclara Marianna. Il ne m'appartient pas de prouver si je suis toujours dans mon droit de maîtresse de cette maison ; en revanche, en ce qui vous concerne, pour que votre revendication soit prise en considération, votre idendité doit être prouvée. Mon notaire attend toujours que vous lui fournissiez une telle preuve. Je ne suis pas étonnée de savoir que le seul contact que vous ayez eu avec lui a été d'un autre ordre et que vous n'avez vu en lui qu'un prêteur d'argent.

— Voilà Harry ! s'écria la comtesse. Cela ne va pas être aussi facile que vous le pensiez, n'est-ce pas ? N'avez-vous pas encore appris à passer la main quand la chance n'était plus avec vous ? Vous avez perdu l'occasion de brouiller les cartes, n'est-ce pas ?

Monsieur Walker émit un hurlement en s'approchant d'elle comme un taureau en colère. La comtesse poussa un cri et, au même instant, Greyson fit irruption dans le salon, un pistolet à la main — que Marianna reconnut comme étant un de ceux de son père. Tandis que Harry Walker reculait dans un effroi compréhensible, le vieux serviteur agrippa l'arme avec ses deux mains et la dirigea à dessein vers la tête de l'autre homme.

— Halte-là ! cria de toutes ses forces Harry Walker, les yeux exorbités et injectés de sang.

Sur un signe de Marianna, Greyson, à son corps défendant, posa le pistolet.

— Je pense qu'il vaudrait mieux, monsieur, que vous quittiez cette maison immédiatement, dit Marianna aussi calmement qu'elle le put.

Du corridor, on pouvait entendre Lucy pousser des petits cris perçants et affolés. Quant à la comtesse, son sang-froid l'avait désertée pour une fois, et elle était accroupie derrière une chaise berceuse, adressant à qui voulait bien l'entendre un flot de paroles en français.

Faisant un effort pour retrouver sa dignité, Harry Walker enfila lentement ses gants de cavalier et s'avança vers la porte.

— Je vous donnerai de mes nouvelles, assura-t-il à Marianna, à voix basse, en passant devant elle. Que le diable m'emporte si vous ne vivez pas assez longtemps pour regretter ce jour ! Je vais vous quitter maintenant avant que ce crétin ne décide de fracasser ma tête. Mais, vous pouvez être sûre de ceci : je reviendrai pour réclamer ce qui m'appartient et rien ni personne ne pourra m'en empêcher.

Pendant ce temps, à Londres :

— J'aurais pensé, disait la marquise de Darby d'une voix tonitruante, que la fille vous ayant refusé un rendez-vous galant, monsieur, l'idée aurait dû traverser votre esprit qu'elle n'était pas éprise de vous.

— Au diable ! répondit son fils. Je souhaiterais que vous ne reveniez pas tout le temps sur ce sujet, madame. Dorothea Tuller peut vous sembler une sainte nitouche, mais pensez-vous que je suis assez borné pour lui avoir proposé de s'enfuir avec moi sans avoir une bonne raison de penser qu'elle ferait bon accueil à un brin de cour ?

— Cette fille ne peut être rien d'autre qu'un simple flirt, George !

— Sapristi ! Madame, ne suis-je pas assez intelligent pour savoir ce que je dois faire ?

— Il semble que vous ne le soyez pas, George. Quelle sorte de nigaud faut-il être pour faire une telle proposition à une jeune fille et dans une lettre, qui plus est !

— C'est vous qui m'avez dit que les jeunes filles aimaient les garçons entreprenants !

— J'aurais dû savoir que pour vous l'enlèvement des Sabines était une fête de village, dit Annestonia d'une voix désespérée. Comment avez-vous pu agir de telle façon ?

— Vous n'auriez pas fait la fine mouche, madame, si l'opération avait réussi ! suggéra George avec insolence. La fille vaut cinq cents pounds par an...

— Ah ! Finissez, mon fils ! Je vais vous donner l'occasion de réparer vos sottises. J'ai appris une nouvelle d'importance, il y a une heure chez *lady* Webster : il semble que la situation, à Burnham Hall, ait subi un retournement.

— Voulez-vous dire, madame, que Marianna est revenue à de meilleurs sentiments ?

— Il paraît qu'un cousin du troisième degré s'est immédiatement présenté pour revendiquer le domaine, mais on a découvert que sa prétention n'est pas recevable, suivant les termes du testament, car il a été adopté et n'est donc pas un enfant légitime. Il semble que si un autre prétendant ne se présente pas dans les quatre mois à venir, Marianna héritera.

Le nez du jeune marquis commença à se pincer.

— Vous ne pensez pas qu'elle a oublié tout ce que votre langue amère lui a débité avant de quitter Burnham Hall ? Ne l'avez-vous pas accusée de nous avoir bernés ?

— Laissez-moi faire, George. Je tiens de *lady* Webster que la fille et sa tante logent chez des amies qui habitent à Albemarle Street. Maintenant, voici ce que je propose...

La marquise n'était pas le genre de femme à se laisser pousser l'herbe sous les pieds et, moins d'une heure après, elle se présentait à la porte d'Evelyn Dulford. Elle était vêtue d'une tunique de couleur puce qui donnait à sa silhouette un aspect impressionnant et elle avait le visage presque caché par un énorme bonnet dont le bord garni de plumes multicolores ressemblait à la queue d'un paon.

Le valet, impressionné par cette femme terrifiante, la fit entrer au salon où Evelyn et Frances étaient en train de jouer au *backgammon*.

— Je suis la marquise de Darby et je voudrais voir Marianna, qui est ma parente au troisième degré par ma mère...

— Je ne me rappelle pas avoir entendu Marianna parler de vous, *my lady*, répondit Evelyn en l'interrompant. Mais de toute façon, la jeune fille ne se trouve plus ici.

La déception se lut sur le visage de la marquise qui pensa immédiatement au moyen de faire avouer à cette vieille femme où se trouvait Marianna.

— Pauvre enfant ! continua-t-elle. Ces dernières semaines ont dû être terribles pour elle ! La lecture du testament l'avait bouleversée. Je comprends d'ailleurs son émotion quand elle a appris les conditions de la succession...

— Ah ! dit Evelyn pensivement. Vous étiez à Burnham Hall à ce moment-là, n'est-ce pas ? C'est bien cela. Marianna, en effet, vous a mentionnée.

— Ce fut un moment affligeant pour tout le monde, continua Annestonia rapidement, en espérant que Marianna n'avait pas donné trop de détails sur la raison de son départ de Burnham Hall.

Mais Evelyn redressa la tête et lui adressa un regard perçant qui signifiait clairement qu'elle connaissait le rôle joué par Annestonia, et ses intentions, et qu'elle la priait de prendre congé.

Sans beaucoup d'espoir, la marquise posa sa question.

— Je suppose que Marianna est retournée à Burnham Hall, maintenant qu'elle n'a plus à craindre de perdre le domaine !

— Ah ! vous êtes aussi au courant de cela ?

— On entend tant de choses, répondit Annestonia.

— Tant de rumeurs sans fondement et si peu d'entre elles authentiques, murmura Evelyn. Quelqu'un vous a dit que Marianna était ici, et vous perdez un après-midi. La prochaine fois vous pourrez apprendre qu'elle est allée à Brighton pour y respirer l'air de la mer.

— Brighton ! dit la marquise vivement. Je vous en prie, indiquez-moi son adresse.

— Ou encore vous pourriez entendre dire qu'elle est allée à Bath.

Le visage noiraud de Sa Grâce se décomposa.

— J'ai toujours détesté les fables, mademoiselle Dulford, dit-elle avec sévérité.

— Et moi de même, madame !

Pendant un moment, pas un mot ne fut prononcé. Annestonia prit congé, déçue de ne pas avoir fait avancer sa cause, pendant qu'Evelyn se dirigeait vers la chambre pour écrire sans attendre à Marianna et lui faire part de cette visite.

A Burnham Hall, Marianna et sa tante descendirent précipitamment au salon quand leur fut annoncée l'arrivée de M. Cavidor.

— Le directeur de la banque qui détient l'annuité

que votre père avait établie pour sa sœur est enfin convaincu de se mettre en contact avec le bénéficiaire actuel, expliqua-t-il à la jeune fille. Cependant, le *gentleman* en question n'est pas venu toucher les deux termes échus.

— Etes-vous sûr qu'il s'agit d'un *gentleman*, demanda Marianna, inquiète.

— Monsieur Hartshorn est la discrétion même, répondit M. Cavidor, mais à plusieurs reprises, il a laissé échapper le pronom « il » et je suis persuadé qu'il s'agit bien d'un homme.

— Je peux à peine croire que Susan ait eu un garçon que je n'ai jamais vu, dit Lucy avec émotion. Pensez seulement. Un neveu !

Marianna durant un instant lutta contre le désir qui l'envahissait de leur dire tout ce qu'elle savait. Mais comment parler alors que John l'avait mise en garde de n'en rien faire, menaçant de laisser Londres derrière lui ?

— Avez-vous quelque chose à dire, *my lady* ? demanda M. Cavidor.

— Non, répondit Marianna après une pause. Je crains de ne pas pouvoir vous aider.

— Je crains ! s'écria sa tante. Pourquoi ? Je pensais que vous seriez soulagée dès que cet odieux Walker serait mis hors d'état de nuire.

Une fois de plus, M. Cavidor s'éclaircit la voix.

— J'étais sur le point de vous parler de monsieur Walker, *my lady*, dit-il à Marianna. Dès que j'ai reçu cette lettre extraordinaire de la comtesse d'Arcy — qui réclamait le secret sur certains faits concernant le passé de monsieur Walker —, j'ai pris les mesures nécessaires pour vérifier son adoption. Ce que je crains maintenant, c'est qu'un héritier plus proche ne se présente pas assez vite et que monsieur Walker décide de hâter sa revendication. Nous pourrions être fort embarrassés pour prouver qu'il n'est pas un descendant par le sang.

— Sûrement pas ! lança Lucy, en s'éventant vigoureusement.

— Je crains de ne pas comprendre, monsieur, reprit Marianna. La comtesse m'assure que monsieur Walker ne dit la vérité que lorsqu'il est enivré. Et il a bu fortement la nuit où il a avoué qu'il était un enfant adopté.

Le notaire secoua la tête tristement.

— Je ne doute pas qu'il ait dit la vérité à ce moment-là. Vraiment, j'espère et je prie pour qu'il en soit ainsi ! Mais je répète que s'il se hâte et s'il peut amener des témoins pour prêter serment qu'il a bien été élevé comme le fils légitime de Vernon et de Ruth Walker, le juge pourrait se décider en sa faveur.

— Mais sûrement monsieur Walker devra présenter un certificat de baptême au juge, protesta Marianna.

— Habituellement, oui, *my lady*. Mais le capitaine Vernon Walker a passé la plus grande partie de sa carrière militaire à l'étranger, en compagnie de sa femme. Et, comme vous le savez, certains pays ne sont pas aussi scrupuleux que les Anglais quand il s'agit de conserver les archives. Ajoutez à cela qu'un soldat ne manque pas d'occasion pour perdre ses papiers ou les détruire. Je pense, qu'étant donné ces conditions, le juge pourrait être clément, particulièrement si monsieur Walker peut fournir d'autres documents, par exemple, le testament de son père, s'il en existe un. Si dans un tel document, il était nommé comme fils et...

— Mais c'est intolérable ! Le juge ne pourrait pas être à ce point injuste, s'écria Lucy, visiblement très agitée.

— J'ai pensé qu'il était sage de vous préparer au pire. Il se peut que je sois exagérément pessimiste. Je souhaite vraiment, vous vous en doutez bien, une heureuse issue.

CHAPITRE XVI

Monsieur Cavidor venait à peine de prendre congé pour regagner Londres qu'une lettre d'Evelyn arriva, faisant part à Marianna de la visite de la marquise.

Au même instant, on entendit le bruit de sabots de chevaux, à travers la fenêtre ouverte du petit salon.

— Mon Dieu ! C'est Harry ! s'écria la comtesse en essayant de se cacher derrière un paravent.

— Non, dit Marianna faiblement, de sa place près de la fenêtre. C'est George, le marquis de Darby.

— Quel dandy, Marianna ! remarqua la comtesse qui s'était précipitée. Voyez seulement la hauteur de son col ! Franchement, on dirait qu'il n'a pas d'oreilles ! Extraordinaire !

— Ah ! *lady* Marianna ! lança George, pressant son cheval jusqu'à ce qu'il fît halte juste au-dessous de la fenêtre — où les deux femmes amusées se tenaient, en s'appuyant l'une sur l'autre. Quel plaisir de vous voir de bonne humeur ! Mais, j'étais certain qu'une visite de ma part vous ferait le plus grand plaisir. Puis-je être présenté à votre ravissante compagne ?

— Le marquis de Darby, madame, la comtesse d'Arcy, monsieur.

— Charmée ! dit Gabrielle avec une imitation si parfaite de l'accent de George que Marianna porta son mouchoir à ses lèvres pour essayer de maîtriser son fou rire.

— Au revoir, comtesse, répondit George, ou peut-être ne sont-ce pas les mots qui conviennent ? Dieu me damne si je n'ai pas oublié mon français d'écolier !

— Dieu vous damne, monsieur, répliqua Gabrielle, ou peut-être ne sont-ce pas les mots qui conviennent ?

— Votre amie est taquine, *lady* Marianna, dit George rayonnant de plaisir. Mais je suppose que vous vous demandez comment il se fait que je sois ici si opportunément. Ma mère, mes sœurs et moi-même, nous sommes descendus au château de Lascan. Je suis sûr que vous connaissez *lady* Fulmère, puisqu'elle est votre voisine. Elle et maman étaient autrefois de bonnes amies...

George fut interrompu par le hennissement de son cheval qui se mit à caracoler avec nervosité. Puis, le bai se cala sur ses jambes arrière et, d'une ruade, envoya son cavalier à terre. George resta étendu en jurant avant de perdre connaissance.

Son évanouissement fut, grâce au Ciel ! de courte durée. Il essaya de se relever, mais sans succès, et il déclara en gémissant que sa jambe gauche était cassée. On ne pouvait rien faire d'autre que le transporter au premier étage de la maison et l'allonger sur un lit.

Marianna envoya chercher le Dr Service, après avoir ordonné d'entourer la jambe blessée de compresses d'eau chaude puis de la bander, tandis que la comtesse s'empressait auprès de George, lui retirant sa veste, plaçant un oreiller sous sa tête et un flacon de sels près de son nez. Il sembla évident à Marianna que la comtesse entendait s'occuper seule du blessé aussi les laissa-t-elle tous les deux.

Lorsque le Dr Service sortit de la chambre de George, le front ruisselant de sueur, il prescrivit au jeune marquis quinze jours de repos absolu, sans bouger la jambe. Catastrophée à l'idée de supporter la présence de George sous son toit pendant deux semaines, et certainement d'avoir la visite de sa mère, Marianna rejoignit Gabrielle dans la chambre où se trouvait George. La comtesse y menait les choses tambour battant, tandis que le *gentleman,* la tête sur l'oreiller, la regardait avec des yeux ensommeillés.

— Tiens ! Quel tourment que cet homme ! annonça Gabrielle en arrangeant soigneusement les bouteilles de médicaments sur la table comme si elle avait passé toute sa vie à soigner des malades.

— Vieille tête à claque ! bredouillait George. Dites-lui à la figure, froussarde, bécasse !

— Il parle de sa maman, dit Gabrielle. Je n'ai jamais entendu un tel langage. Et quand j'ai essayé de le calmer, il m'a pris la main et il a essayé de m'attirer à côté de lui sur le lit. Je crois que je pourrais faire sa conquête facilement. Est-il vraiment marquis ?

Marianna la regarda, consternée, ne sachant pas si elle parlait sérieusement, mais le rire perlé de Gabrielle la rassura.

— Une servante va venir vous remplacer, vous devez être exténuée !

— Quelques verres de ratafia me remettront sur pied, lui assura Gabrielle. Si vous voulez m'en faire servir.

Leur conversation fut interrompue, car George, la tête à moitié soulevée sur l'oreiller, étendit une main implorante.

Ensemble, les deux dames approchèrent du lit ; George les observait, les yeux louchant d'une manière bizarre.

— Secret ! annonça-t-il, tandis que Gabrielle lui remettait la tête sur l'oreiller, en se tenant à distance pour l'empêcher de l'enlacer.

— Dites-nous votre secret, mon cher, et remettez-vous à dormir, lui murmura-t-elle avec indulgence, comme à un enfant.

— C'est la vieille boîte à malices qui me l'a fait faire. Je désire... je m'excuse, marmonna George. J'ai pris les papiers... dans la bibliothèque.

Marianna, devenant pâle, s'agrippa à la colonne du lit pour ne pas tomber.

— Dites-moi tout, au sujet des papiers, s'écria Marianna, en poussant Gabrielle sur le côté et en se penchant sur lui.

— Ver de fumier a dit que si je mettais Evans hors de la course... Papiers en sécurité à la maison. Plaisanterie. Rien qu'une plaisanterie...

Et sur ces mots, il sombra dans un sommeil si profond qu'il ne pouvait plus être question de le réveiller.

— Ah ! Il est très amusant, n'est-ce pas ? Savez-vous de quels papiers il parlait ?

— Oui, dit Marianna sombrement en quittant la chambre. J'ai peur de trop bien le savoir.

Pendant ce temps à Londres :

— Je crains, John, que durant ces dernières

années, nous ne nous soyons reposés sur vous indû-
ment.

— Vous ne devriez jamais dire cela, assura John à
la personne qui se tenait au milieu d'une classe
d'école, modestement équipée.

De la cour extérieure, on entendait les voix des
garçons, au-delà des fenêtres basses, à travers lesquel-
les la lumière du soleil avait du mal à pénétrer. On
pouvait percevoir aussi quelque chose de l'animation
des chantiers navals et de la rivière qui coulait doucement.

— Mais maintenant que nous voulons nous
agrandir, nous aurons besoin de plus d'argent, fit
remarquer la jeune femme.

Mademoiselle Finton était une femme d'une qua-
rantaine d'années, aux yeux bleus et au regard
d'enfant. Elle était coiffée strictement, de nattes
enroulées autour de la tête.

— Je dois vous expliquer... enfin... comme vous
avez dû le deviner, mon crédit s'est tari... ou plutôt
disons que je ne veux plus tirer sur mon compte. Et
naturellement, comme je ne suis plus à Cambridge, il
m'est de plus en plus difficile de gagner de l'argent.

— Des lettres de rappel ne pourraient-elles pas
être envoyées ? Je ne veux pas être indiscrète, mais
cette école a été toute ma vie, depuis la mort de votre
chère mère, et je me rends compte que ma délicatesse
s'émousse quand il s'agit de l'avenir de ces enfants.

— Vous avez le droit de savoir, Finey, dit John en
pressant la main de la jeune femme affectueusement.
L'argent dont je parle est simplement l'annuité qui a
été constituée pour ma mère. Je pense qu'elle a dû
vous en parler. Quant à moi, j'ai toujours su qu'elle

l'avait acceptée à contrecœur parce qu'elle la considérait comme une partie de la fortune de son père, alors
même que le crédit avait été établi par son frère. Elle
s'en servait, j'en suis sûr, avec beaucoup de réticence.
Vous le savez, après sa mort, je tirais régulièrement
l'argent tous les trimestres.

— Je sais aussi que l'argent en grande partie était
utilisé ici ? ajouta Mlle Finton à voix basse.

John se retourna et plongea ses mains dans ses
poches.

— Je dois vous dire que les choses ont changé,
murmura-t-il en posant son regard sur les garçons en
haillons qui jouaient dans la cour. Je ne peux donner
aucune explication. Des considérations d'ordre personnel sont en jeu ici. Non, je n'en dirai pas plus.

Il parlait avec une telle véhémence que Mlle Finton
le regarda avec anxiété. Lentement, elle marcha entre
les rangées de bureaux et elle s'arrêta devant lui.

— Permettez-moi de vous demander ceci,
continua-t-elle. Si vous persévérez à refuser de toucher la rente, est-ce que l'argent retournera à sa
source ?

— Je ne crois pas, répondit-il.

— Alors je ne me trompe pas en présumant que
cet argent portera intérêts sur intérêts, indéfiniment ?

— C'est fort probable.

— Et ainsi, tandis qu'une somme considérable
s'accumulera à la banque, dit Mlle Finton, les garçons
qui auraient pu bénéficier de la nourriture et de l'instruction que nous leur apportons devront s'en passer.
Vous parlez de difficultés morales. Je sais, par expérience, que lorsqu' un *gentleman* emploie ce terme,
c'est le plus souvent qu'il s'agit d'orgueil.

— Et c'est bien cela, Finey ! déclara John en sou-
riant. Vous avez raison, c'est l'orgueil et rien d'autre.
J'ai assez de problèmes sérieux sans que cette question
de l'annuité ne vienne s'y ajouter. Je reviendrai dans
une heure, Finey, avec des poches suffisamment bour-
rées pour que vous en soyez satisfaite.

Pas plus d'une demi-heure après, M. Hartshorn
était informé par l'un de ses employés que le *gentleman* dont le personnel avait reçu l'ordre de guetter la
venue, se trouvait devant le comptoir. On vit alors le
directeur faire entrer John Evans dans son bureau
privé, avec beaucoup d'obséquiosité. Cinq minutes ne
s'étaient pas écoulées, lorsque le jeune homme sortit
de ce même bureau, la mine défaite. Peu de temps
après, M. Hartshorn, pâle et transpirant, arrivait à
Temple Bar.

— La nouvelle n'a pas semblé le surprendre, dit-il
à M. Cavidor. Mais il était en colère ! Il ne cherchait
pas à s'en cacher. Il m'a rappelé que son identité en
tant que titulaire de la rente ne devait pas être connue.
Et quand je lui ai assuré que je ne l'avais pas oublié, il
me demanda comment il se faisait que je connaisse les
termes du testament du duc de Worthington.

— Ce à quoi vous avez répondu ?

— Je lui ai dit la vérité, monsieur. Je lui ai appris
qu'en feuilletant les papiers du duc, vous aviez découvert certaines informations qui vous ont amené chez
moi. Quand je l'ai assuré que je n'avais pas révélé son
nom, il m'a demandé ma parole de *gentleman*
d'oublier cette affaire et de ne pas dire un seul mot sur
ce sujet, à qui que ce soit.

— Vous pensez donc qu'il n'a pas l'intention de faire une demande de revendication sur le domaine ?

— Diable, monsieur, il ne pouvait guère l'exprimer plus clairement ! Il m'a dit qu'il désirait à l'avenir que la somme trimestrielle soit envoyée au nom d'une autre personne dont il m'a donné le nom et l'adresse.

— Le *gentleman,* à mon avis, ne doit pas savoir qu'il y a un autre prétendant. S'il en était informé, n'en tiendrait-il pas compte ? Je me sens concerné, monsieur Hartshorn, et pour la raison suivante : il y a une jeune *lady* qui pourrait bien être forcée de laisser le domaine de son père passer entre les mains d'un soudard qui ne perdrait pas de temps pour jouer jusqu'au dernier centime de la fortune que votre banque administre présentement.

Monsieur Hartshorn devint très pâle.

— J'espère que vous n'êtes pas sérieux, monsieur, murmura-t-il.

— Vous conviendrez avec moi que ce n'est guère le moment de faire des plaisanteries, dit M. Cavidor avec raideur.

— Mais, ceci pourrait suffire à ruiner notre banque ! s'écria M. Hartshorn.

— Ce *gentleman* qui désire rester incognito a-t-il l'air d'un scélérat qui dilapiderait une fortune ?

— Je parierai ma réputation qu'il ne l'est pas ! Croyez-moi, monsieur, j'ai vu suffisamment de scélérats pour en reconnaître un au premier coup d'œil, répondit M. Hartshorn.

— Alors, il serait bon pour toutes les personnes concernées que je découvre pourquoi le *gentleman* en question se refuse à revendiquer ses droits.

— Oui, je comprends votre point de vue, monsieur. Sans vous révéler le nom du *gentleman,* je peux vous dire que je suis chargé d'envoyer les fonds à mademoiselle Julia Finton, 47, Craven Street, Londres, dit M. Hartshorn d'une voix émue.

— Ça alors ! fit remarquer M. Cavidor, ne dissimulant pas sa stupéfaction, c'est le fait le plus étrange de tous. A moins que ma mémoire ne me fasse défaut, Craven Street se trouve près des quais, dans un des endroits les plus vétustes de la cité.

CHAPITRE XVII

Laissant la comtesse exercer son autorité auprès du blessé, Marianna se dépêcha de regagner sa chambre, les joues brûlantes de colère. Comment George avait-il osé s'immiscer dans sa vie privée d'une telle manière ? Non seulement elle avait été forcée de vivre durant des semaines avec la pensée que John était un voleur, mais pour finir elle s'était couverte de ridicule.

Durant une heure, elle se laissa aller à des réflexions amères, car la révélation des propos de George avait éclairci son esprit. Et la vérité, c'était que les choses ne pouvaient guère aller plus mal. Harry Walker allait faire entendre sa cause, et elle serait alors renvoyée, avec Lucy. Il n'y aurait pas d'autre choix que de s'offrir sur le marché du mariage — aussitôt la période de deuil terminée. Et il était inutile d'espérer qu'elle aurait la chance de tomber amoureuse puisque, il fallait l'admettre maintenant, son cœur était déjà pris. Elle pouvait bien prétendre que son sentiment pour John n'était que de l'affection, l'émotion qu'elle ressentait à son égard prouvait qu'elle l'aimait. Et cependant, il ne pourrait jamais y avoir quoi que ce fût entre eux, car n'avait-il pas dit clairement qu'il préférerait abandonner une fortune que de se marier avec elle ?

Marianna fut obligée de sécher ses yeux en entendant frapper à la porte. Greyson lui annonça qu'il avait à la main une lettre portée en toute hâte de la part de M. Cavidor de Londres ; le notaire donnait l'adresse d'une certaine Mlle Finton, 47, Craven Street, où il était possible de parler au *gentleman* en question.

Quelques instants plus tard, la jeune fille s'asseyait, en compagnie de Greyson, dans le coche qui se mit à rouler à vive allure en direction de Londres.

Marianna pouvait tout à son aise réfléchir sur les conséquences probables de ce qu'elle était en train de faire, si elle avait la chance d'intercepter John à Craven Street, ou à défaut, à son domicile. De toute façon, elle ne pouvait attendre que de l'hostilité de sa part, c'était certain. Mais elle aurait la satisfaction de pouvoir lui dire non seulement ce qui était arrivé aux papiers de son père, mais aussi de lui expliquer, comme elle aurait dû le faire avant, que c'était George qui avait mis le lieutenant de police à ses trousses. Enfin, elle expliquerait que si le notaire l'avait découvert, elle n'y était pour rien. Ainsi, elle ne serait pas forcée de vivre le reste de ses jours avec le regret d'un tel malentendu.

Au moment où ils atteignirent Londres, il était à peine midi. Le groom connaissait assez bien la cité et il évita les rues les plus encombrées, se rendant directement à Craven Street.

Après avoir permis à Greyson de l'aider à descendre de voiture, Marianna se dirigea vers une maison noircie de fumée et au plafond bas ; elle traversa un couloir étroit et elle émergea dans une salle de classe en mauvais état où quelques jeunes garçons écoutaient avec beaucoup d'attention une femme au doux visage dont les cheveux grisonnants étaient retenus par un simple petit chignon sur la nuque. Apercevant Marianna debout au fond de la pièce et Greyson à ses côtés, la femme, d'un signe de tête, libéra les garçons.

— Je suis mademoiselle Finton, dit la femme en s'avançant vers eux, la main tendue en signe d'accueil. Puis-je vous aider ?

Quand Marianna se présenta, Mlle Finton ne chercha pas à cacher son étonnement.

— John m'a souvent parlé de vous et de votre père, mais je ne m'attendais pas à ce que nous nous rencontrions. C'est étrange, vous êtes la deuxième personne amie de John qui soit venue ici en quelques heures. A vrai dire, je ne puis assurer que le *gentleman* soit un ami de John, car celui-ci ne paraissait pas bien content de le voir.

— S'agissait-il d'un *gentleman* mince et portant des lunettes ? demanda Marianna. Un certain monsieur Cavidor ?

— Oui. C'est bien son nom. John ne voulait pas lui parler ici et ils sont partis ensemble. Je dois l'avouer, j'ai depuis des raisons de m'inquiéter. Quelque chose tourmentait John depuis des semaines, mais il ne m'en a jamais dévoilé la cause et maintenant...

Elle fit une pause comme si elle était effrayée d'en avoir trop dit et reprit :

— Moins d'une heure après son départ, j'ai reçu un mot de lui, disant qu'il avait besoin de quitter le pays pour quelque temps. Il ajoutait que je recevrais de l'argent toús les trimestres de la banque et qu'il écrirait à nouveau dans quelques semaines pour me donner des explications. Vous pouvez imaginer mon inquiétude !

Après lui avoir assuré avec beaucoup de sérieux qu'elle la comprenait, Marianna s'en alla et donna au groom l'adresse du domicile de John.

Le souffle lui manqua quand le véhicule s'arrêta devant la maison en terrasse ; elle se souvenait si bien de ce lieu qu'il lui semblait impossible de n'y être venue qu'une seule fois. Elle reconnut le cheval de John dont les rênes étaient tenus par un gamin de la rue. Elle était arrivée à temps ! Grâce à Dieu, il n'était pas encore parti !

Sans attendre l'aide de Greyson, elle descendit de la voiture dans un tourbillon de jupons et elle courut vers la porte ; elle l'atteignit juste au moment où John apparaissait, les bras chargés de toiles empaquetées. Durant un instant, ils se regardèrent en silence et, posant son bagage sur le pas de la porte, John l'introduisit et l'amena jusque dans son salon, maintenant vide de meubles.

Ni l'un ni l'autre ne s'embarrassèrent de préliminaires.

— Comme vous pouvez le voir, je suis sur le point de quitter Londres. Je vous avais prévenue.

— Et je suis venue vous prier de ne pas partir. Du moins, vous devez d'abord entendre ce que j'ai à vous dire.

Il ne répondit pas et il alla s'accouder sur le rebord de la cheminée, ses yeux noirs fixés sur le visage de la jeune fille.

— Je vous écoute, *my lady*.

— Vous pensez que j'ai envoyé monsieur Cavidor chez mademoiselle Finton ?

John haussa les épaules.

— Je ne vois pas comment il aurait pu me dépister autrement, *my lady,* dit-il en raillant.

— Appelez-moi par mon nom ! s'écria la jeune fille, en colère. Auparavant, nous étions John et Marianna.

— Comme frère et sœur, s'il vous plaît. Je dois beaucoup à votre père, mais je ne lui dois pas cela. Une telle parenté était votre idée, et non la mienne.

Elle s'était attendue à de l'hostilité, mais pas à tant de mépris. Des larmes vinrent à ses yeux, mais elle se jura qu'elle ne les laisserait pas couler.

— Je ne suis pas venue ici pour discuter de ce que nous sommes l'un pour l'autre. Vous devez au moins admettre cela. Nous avons été amis.

— Les amis tiennent leurs promesses, lui dit-il.

— J'ai promis de ne pas trahir votre identité et j'ai tenu ma parole ! rétorqua Marianna. Je savais que monsieur Cavidor vous recherchait, mais il connaissait peu de choses sur vous, pas même votre nom et je ne le lui ai pas donné.

— Si ce que vous dites est vrai, comment a-t-il su si exactement où me trouver ? demanda John en fronçant les paupières.

— Il savait seulement où l'argent de la banque devait être envoyé à l'avenir, lui répondit Marianna.

— Hartshorn !

— Si c'est le directeur de la banque. Oui. Il était légalement tenu de ne pas dévoiler votre nom et je crois qu'il ne l'a pas fait. Mais rien ne pouvait l'empêcher de donner d'autres informations, s'il pensait que c'était nécessaire.

— Rien, sinon sa parole de *gentleman* !

— Je ne sais pas s'il vous a donné sa parole ou non mais ma seule préoccupation est que vous sachiez la vérité, et notamment que je n'ai rien à voir avec la visite que vous a faite monsieur Cavidor. Répondez à ceci, si vous ne me croyez pas : le notaire n'a-t-il pas été surpris quand il s'est rendu compte que l'homme qu'il cherchait était le même que celui qui avait été l'assistant de mon père ?

John fit deux pas vers elle. Son visage n'était plus aussi fermé.

— Oui, dit-il. Maintenant que j'y pense, effectivement, c'était étrange. Nous nous sommes rencontrés deux fois à Burnham Hall et il est exact que, quand nous nous sommes revus à Craven Street, il a paru quelque peu surpris en me voyant.

— Vous étiez si désireux de me trouver en faute que cela vous a échappé, sans doute, ajouta Marianna.

— Je n'étais pas désireux de vous trouver en faute pour quoi que ce soit. Hartshorn m'a donné sa parole et il ne m'est pas venu à l'esprit qu'il avait pu ne pas la tenir. Je présume…

— Comme vous présumiez que j'avais envoyé un lieutenant de police à vos trousses, rétorqua Marianna. Exactement comme vous avez pensé que je vous prenais pour un voleur !

— Est-ce que ce n'était pas le cas ?

— Jamais ! Même pas quand toutes les preuves étaient contre vous. J'ai pensé que vous aviez pris les papiers seulement pour m'éviter du souci. Que vous aviez l'intention de finir le manuscrit et de me le renvoyer. Pouvez-vous croire en ma parole d'honneur ?

— Oui, répondit-il d'une voix ferme. Je vois que je vous ai terriblement mal jugée, Marianna.

— Non. Vous ne pourrez le réaliser que lorsque vous saurez tous les faits. Vous devez vous souvenir de la marquise de Darby et de son fils ?

— Je ne crois pas que je puisse les oublier, dit-il sombrement.

— Très bien, alors. C'est cette *lady* qui, lorsque l'on découvrit la disparition des papiers, vous a accusé. Et c'est George, de sa propre initiative, qui a contacté un lieutenant de police. Je ne vais pas m'étendre sur les circonstances qui l'ont ramené à Burnham Hall. Mais c'est seulement ce matin que j'ai découvert que c'était lui qui avait pris les papiers.

— L'impudent ! Et pire encore... mais enfin pour quelle raison aurait-il fait une pareille chose ? Dieu sait qu'il n'est pas un érudit !

— Il désirait brouiller les choses entre nous, répondit Marianna, réalisant que cette explication allait être la plus difficile.

— Mais pourquoi ?

— Parce qu'il pensait que je... je comptais beaucoup trop sur vous. Vous comprenez, jusqu'à ce que lui et sa mère aient entendu les clauses du testament, il avait quelque raison de souhaiter que personne d'autre que lui ne soit sur les rangs.

John jura à voix basse.

Marianna s'appuya contre le dossier d'un siège.

Elle sentait que ses jambes allaient fléchir, mais elle était déterminée à continuer. Bientôt, elle aurait tout dit.

— Un moment, et je ne vous retiendrai pas plus longtemps, dit-elle en gardant une voix ferme. Je n'avais pas l'intention de vous dire cette dernière chose, mais en raison de l'estime que vous portiez à mon père, il faut que vous sachiez. Pensez-vous à ce qu'il adviendra du duché quand vous aurez quitté l'Angleterre ? Il se peut que monsieur Cavidor vous l'ait dit, et s'il en est ainsi, je ne peux espérer vous faire changer d'avis.

— Je ne lui ai pas donné l'occasion de dire quoi que ce soit, à l'exception de ce que je savais déjà. Asseyez-vous Marianna. Vous avez l'air exténué. Je ne me blâmerai jamais assez de vous avoir mise dans cet état.

— Je suis très bien, lui assura-t-elle. Mais je vous ai posé une question, John, et je voudrais votre réponse. Que pensez-vous qu'il arrivera au domaine quand vous serez parti ?

Il baissa les mains en signe d'impuissance.

— Tout reviendra à vous et à votre futur enfant. C'est ainsi que cela doit être.

— Entre ce qui doit être et ce que cela sera, il y a une différence, lui dit Marianna faiblement. Si vous aviez donné à monsieur Cavidor l'occasion de s'exprimer, il vous aurait parlé sans doute d'un certain Harry Walker.

— Walker ?

— Il revendique le domaine.

— Mais ce n'est pas possible. Jamais votre père n'a fait mention...

— Sans doute parce qu'il n'avait jamais imaginé que les choses se trouveraient dans l'impasse actuelle. Harry Walker est un soudard, un joueur invétéré, et il est aussi mon cousin au troisième degré du côté de mon père. Peut-être pas par le sang. Peut-être seulement par adoption. Mais il le contestera et il se peut que sa revendication soit portée devant le juge.

— Impossible !

— Non, pas impossible, hélas ! Comme je vous l'ai dit, je n'avais pas l'intention de vous en parler, parce que je ne veux pas vous influencer. Je sais trop pourquoi vous ne désirez pas hériter. Je connais le projet de mon père, et je regrette qu'il vous ait mis dans une situation si délicate. Mais vous devez me croire si je vous dis que je comprends très bien le sens de votre lettre. Personne ne devrait se marier sans amour. Et je ne le vous demande pas. Le mariage n'est pas nécessaire. Me comprenez-vous, John ? Le titre vous appartient. La fortune aussi. Vous n'avez pas d'autres obligations morales. J'ai parlé à mademoiselle Finton. J'ai vu l'école. Sans votre obstination, vous pourriez faire tant de bien.

Les larmes allaient jaillir, elle le savait. Déterminée à ne pas s'humilier davantage, elle se tourna vers la porte et elle atteignit, à l'aveuglette, le loquet. Elle sentit la main de John sur son épaule et elle pensa qu'il devait avoir pitié d'elle. Oh ! Mon Dieu ! S'il y avait un sentiment qu'elle ne désirait pas provoquer chez lui, c'était bien la pitié ! Elle se libéra et elle descendit les escaliers en courant, en entendant John l'appeler. Greyson, debout devant la voiture, demanda :

— Monsieur Evans ?

— Je n'ai rien de plus à lui dire, dit Marianna, haletante. Aidez-moi à monter, Greyson. Partons immédiatement. Pas à la maison. Je ne pourrais pas supporter le voyage maintenant. Allons à Albemarle Street.

Marianna arriva à retenir ses larmes jusqu'à ce que, dans les bras d'Evelyn, elle pût raconter à la vieille demoiselle toute son histoire.

— John connaît la vérité maintenant. A l'exception d'une chose. Je l'ai laissé croire qu'il ne m'était rien. Et ceci est le seul mensonge qui restera toujours entre nous...

CHAPITRE XVIII

Marianna, après une nuit agitée, se réveilla par un matin qui reflétait parfaitement son humeur : un matin de brouillard, avec la pluie qui cognait contre les vitres des fenêtres de sa chambre.

Elle tenta de se rassurer en se disant qu'elle n'avait pas dévoilé son amour à John. Mais il avait eu pitié d'elle. Oh ! pitié d'elle ! Ses joues devinrent cramoisies en se souvenant de l'expression des yeux de John lorsqu'elle lui avait expliqué qu'il n'avait pas à se sentir contraint de l'épouser en acceptant l'héritage. Quoi qu'il arrive, elle ne pourrait jamais plus le regarder en face.

Quand Evelyn entra dans la chambre, ce fut une diversion bienvenue.

— Allons à Burnham Hall ensemble ; ma sœur restera ici et elle sera dorlotée par nos serviteurs, dit Evelyn avec entrain. Vous serez plus heureuse à la campagne. Le temps est tel que nous ne pouvons pas prendre votre voiture. Mais Greyson peut nous accompagner dans ma voiture et mon propre cocher la conduira.

— Tante Lucy va faire tant d'histoires, répondit

Marianna qui pourtant désirait par-dessus tout être chez elle — même pour une courte durée.

— Je m'occuperai de Lucy, mon enfant, lui assura Evelyn,

— Mais George sera là et peut-être sa mère est-elle déjà installée ?

— Je m'occuperai de cela également, répondit Evelyn fermement. Certes, vous avez été blessée, mais je me refuse à croire qu'une personne aussi courageuse que vous puisse se laisser si facilement anéantir.

— Oui. Vous avez raison. Et puis, vous serez avec moi pour me donner du courage, ajouta Marianna en séchant ses larmes.

— Je vous en donnerai et plus encore. Maintenant, laissez-moi vous aider à vous habiller. J'ai déjà fait mes bagages, vous voyez. Dans une demi-heure, nous pourrons être en route pour Burnham Hall.

Même le temps s'harmonisait avec la bonne humeur d'Evelyn. Dès qu'elles eurent laissé Londres derrière elles, le soleil perça les nuages et darda ses rayons bienfaisants. Et, lorsque la voiture s'engagea dans les chemins familiers, le ciel s'éclaircit et le chant des oiseaux se fit entendre.

« Jamais Burnham Hall ne m'a paru aussi merveilleux », pensa Marianna tandis que la voiture s'engageait dans le dernier virage. Penchée à la portière, elle appréciait les lignes du noble édifice avec des yeux aimants. Un jour, elle le savait, elle en serait chassée... Mais, pour l'instant, elle ne ressentait qu'une joie profonde. Cette fois encore, elle faisait partie de ces lieux ; ils étaient les siens.

C'est seulement quand ils furent presque arrivés devant le perron en pierre qui conduisait à la porte d'entrée que Marianna aperçut la brillante voiture noire qui attendait là. Un instant plus tard, elle put distinguer les armoiries de *lady* Fulmère sur la portière.

— La mère de George est là, dit-elle à Evelyn. C'est exactement ce que je craignais.

— Elle ne doit pas avoir l'intention de rester, car la voiture n'est pas garée dans la remise, fit remarquer Evelyn.

Tandis qu'elle parlait, la porte d'entrée de la maison s'ouvrit et la comtesse apparut. Derrière elle, Marianna vit la forme menaçante de la marquise. En s'exclamant, Gabrielle descendit précipitamment les marches et elle s'avança en tendant les bras à Marianna.

— Mon amie ! Comme je suis heureuse de vous voir ! Votre tante est dans un état pitoyable. Depuis qu'elle a découvert votre disparition, elle se conduit comme une petite fille. Oh ! je me suis tellement amusée, ma petite ! Pensez seulement, le marquis m'a fait une demande en mariage ! Je viens juste de le dire à sa mère. Elle n'a pas l'air enchanté du tout. Oh ! cette femme est une terreur !

Tout ceci fut dit alors qu'Annestonia s'approchait d'elles, tel un nuage annonçant l'orage.

— Ah ! cousine ! Vous avez enfin décidé de revenir chez vous !

C'est par courtoisie que Marianna s'empêcha de lui répondre : « Occupez-vous de vos affaires. »

Elle arriva à se dominer et présenta Evelyn qui observait la marquise de Darby avec une lueur amusée

dans les yeux. La vieille demoiselle sourit quand
Gabrielle la salua, car la comtesse l'enlaça et
l'embrassa sur chaque joue à la manière française, en
déclarant qu'elle allait l'aimer tout autant que
Marianna, elle en était certaine. La marquise interrompit ces effusions par un cri ressemblant à un
aboiement.

— Les choses sont dans un bel état, s'écria-t-elle.
Mon fils vient à cheval faire ici une visite de courtoisie, et le voilà prisonnier de cette... cette femme-là qui
l'a forcé à lui faire une demande en mariage, arra-
chée, c'est certain, pendant qu'il était sous l'effet
d'un calmant.

La comtesse fit semblant de frissonner :

— Mon Dieu ! confia-t-elle à Marianna sur un ton
un peu trop sonore. N'est-elle pas un dragon ? On
croirait voir de la fumée sortir de sa bouche, n'est-ce
pas ? Mais cela n'a aucune importance. Monsieur
George et moi, nous sommes très heureux. Il a envoyé
un faire-part de mariage qui paraîtra dans *La Gazette*.
Au début, il hésitait à cause de sa maman. Mais, je lui
ai rappelé que nous étions tous les deux majeurs.

— Vous êtes anormalement âgée pour mon fils,
madame, hurla Annestonia.

— J'ai l'habitude d'être appelée comtesse, lui dit
Gabrielle. Sinon ce sera madame pour toutes les deux.
C'est la meilleure solution, car je ne pense pas que
nous devenions intimes au point de faire usage de nos
prénoms respectifs.

Durant un moment, elles se regardèrent fixement.
Gabrielle était resplendissante dans sa tenue de satin
rose et blanc, qui la rajeunissait, comme elle le désirait. La marquise, plus qu'à l'ordinaire, paraissait

négligée avec sa robe puce et son turban en forme de tour sur la tête.

Annestonia se retourna avec un geste d'impatience et dit à Marianna :

— J'ai donné des ordres pour que George soit reconduit au château de Lascan. Comme vous le voyez, la voiture de *lady* Fulmère attend devant la porte. Vous allez peut-être penser qu'en agissant ainsi je mets la santé de mon fils en danger, mais vous pouvez le constater, je n'ai pas le choix.

A ce moment, George apparut sur le palier de l'escalier, soutenu par deux valets qui l'aidèrent à s'asseoir, comme un enfant, sur leurs bras croisés. Ils commencèrent à descendre les escaliers tournants, avec une grande prudence, suivis de deux autres valets qui portaient une quantité impressionnante de bagages.

— Comme vous le voyez, madame, dit Gabrielle, je n'ai pas d'autre choix que de vous accompagner car le marquis m'a fait promettre de ne pas le quitter...

— Impossible ! s'écria la marquise en lui coupant la parole.

— Je suis sûre que votre hôtesse ne chassera pas la fiancée de votre fils, répliqua Gabrielle. Ce serait vraiment inconvenant si vous lui suggériez de le faire, n'est-ce pas ? Pauvre George chéri ! Oser lui demander de se séparer de moi, alors qu'il souffre tellement. Ah ! Mon cher, mon cher !

Sur ce, elle se précipita dans les escaliers et elle planta un baiser sonore sur la joue de l'invalide.

George cessa de maudire ses porteurs pour fixer Gabrielle avec une telle dévotion qu'il en devint presque charmant à regarder.

— George ! s'écria sa mère.

— Mais, maman, déclara-t-il d'une voix pointue, c'est une comtesse. Parlez-lui seulement de votre sang royal, Gabrielle !

— Chaque chose en son temps, mon ami, lui assura Gabrielle joyeusement.

Marianna et Evelyn se mirent à l'écart pour laisser passer l'étrange procession. La comtesse s'arrêta seulement pour dire à Marianna qu'elle avait l'intention d'être très heureuse et qu'elle désirait l'avoir à son mariage. Et, sur ce, tandis que George était déposé dans la voiture tel un ballot gênant, elle ajouta, les yeux pétillants :

— Dites à Harry que je suis tout à fait bien sans lui, et empêchez-le de vous dépouiller. Tout ira bien. Souvenez-vous en !

Marianna et Evelyn demeurèrent devant la porte d'entrée jusqu'à ce que le coche de *lady* Fulmère se mît, en grinçant, à descendre la pente. Gabrielle, penchée à la portière, agitait un mouchoir en dentelle en criant « au revoir ».

A côté d'elle, on pouvait voir la silhouette menaçante d'Annestonia qui ressemblait à un sphinx d'Egypte.

— Je crois que la marquise a trouvé son maître, fit remarquer Evelyn avec un large sourire.

Mais l'attention de Marianna fut bientôt détournée par l'arrivée de Greyson qui était allé faire quelques courses. Son visage était sombre quand il expliqua à sa jeune maîtresse que sa présence au salon s'imposait le plus rapidement possible. Marianna se hâta de descendre dans le hall, suivie d'Evelyn.

La jeune fille ne put s'empêcher de pousser un cri de surprise à la vue d'Harry Walker, debout au milieu de la pièce, tenant une bouteille de brandy dans une main et un verre dans l'autre. A côté de lui, il y avait un petit homme dont la tête n'était pas plus grosse qu'un poing, habillé tout en noir, et qui, à cause de l'extraordinaire longueur de ses bras ressemblait étonnamment à une araignée.

— Ainsi, cousine, nous nous rencontrons à nouveau ! dit Harry Walker sur un ton enjoué. Venez ! Nous devons porter un toast à Gabrielle. Elle ne s'est pas mal débrouillée... elle a réussi à accrocher un marquis dans ses filets. Diable ! Je veux bien être pendu si je me trompe !

Le cœur de Marianna se mit à battre rapidement. La présence de cet homme à Burnham Hall ne pouvait avoir qu'une signification : il avait la certitude d'être l'unique prétendant au titre. Monsieur Cavidor avait dû recevoir un mot l'informant que John avait quitté l'Angleterre, ce qui ne laissait pas d'autre recours au notaire que d'admettre Harry Walker comme seul héritier. Si Greyson n'était pas allé à Londres avec elle, sans doute aurait-il rassemblé tout le personnel du duché pour empêcher Harry Walker de pénétrer dans la maison. Mais après son départ, la garde avait dû se relâcher. De toutes les façons, il fallait faire face à cet homme et entendre ce qu'il avait à dire, quels qu'en fussent les désagréments.

— C'est mon avocat, cousine, annonça Harry Walker, triomphalement. Laissez-moi vous présenter monsieur Bugman, un très... un des plus connus... un avoué remarquable. Il a en sa possession, je dis en sa possession, toutes les preuves nécessaires pour faire de moi l'héritier de Worthington.

Marianna respira profondément et dit :

— Ceci, monsieur, est une affaire qui doit être tranchée par le juge. Ici vous êtes dans mon salon et non dans une salle d'audience.

Un froufrou soudain annonça l'arrivée de Lucy qui se pressait, autant que sa rondelette petite personne le lui permettait, pour embrasser sa nièce et la vieille demoiselle.

— Oh ! Quel remue-ménage ! s'écria-t-elle. D'abord la marquise, ensuite ces deux *gentlemen !* Je ne savais plus que faire. Comment avez-vous pu me laisser seule face à tout cela, Marianna ? Je n'ai pas quitté monsieur Walker, pas même une seconde, dans la crainte qu'il n'emporte quelque chose de valeur.

— Je vais emporter beaucoup de choses de valeur avant peu, lui assura Harry Walker. Cette maison sera vendue car — monsieur Bugman est d'accord avec moi — l'argent liquide, c'est ce qu'il y a de mieux. Nous avons la même façon de voir les choses, n'est-ce pas Bugman ?

Les yeux du notaire étaient si petits et si rapprochés l'un de l'autre que Marianna n'aurait pas manqué de remarquer cette anomalie, si elle n'avait été aussi bouleversée. Il lui fallait d'abord trouver le moyen de se débarrasser de la présence de ces deux hommes, et ce le plus rapidement possible.

Ce fut Evelyn qui suggéra la solution. Détachant Lucy de ses bras, elle alla vers l'une des grandes fenêtres et c'est de cette position privilégiée qu'elle

annonça que Marianna et Harry Walker devaient s'en
remettre à l'arbitrage de M. Cavidor.

— Mais il est à Londres, protesta la jeune fille.

— Je ne le crois pas, dit Evelyn d'un air joyeux. A
moins que mes yeux ne me trompent, il est en ce
moment même en train de descendre de cheval, ainsi
que son compagnon.

Se précipitant à la fenêtre, Marianna arriva juste à
temps pour voir le notaire et John Evans qui mon-
taient les escaliers.

Avant de réaliser ce qui arrivait, les portes du
salon s'ouvrirent et les deux *gentlemen* firent leur
entrée.

— Diable ! Qu'est-ce que cela ! demanda Harry
Walker.

— C'est une question, monsieur, que je devrais
vous poser, répondit M. Cavidor, d'un ton solennel.

John, lui, se tenait fermement derrière le notaire ;
il portait une jacquette et des pantalons gris et ses bot-
tes à revers reluisaient. Ses yeux noirs se fixèrent sur
Harry Walker, puis sur Marianna. Et, pendant un instant, bien qu'ils fussent séparés par la longueur du
salon, pour la jeune fille, il n'y eut personne d'autre
au monde que lui.

Soudainement, elle réalisa que M. Cavidor
s'adressait à elle.

— Nous nous sommes mis en route aussitôt après
avoir reçu le mot de mademoiselle Dulford, *my lady,*
dit-il. Ou plus exactement, aussitôt que monsieur
Evans a eu son message. Il est venu directement à mes
bureaux en insistant pour que nous ne perdions pas de
temps. Il avait certainement une raison pour un
départ aussi précipité. Je ne suis pas bon cavalier,

mais ceci n'est pas notre propos. En tant que repré-
sentant légal de cette *lady,* monsieur Walker, je dois
insister pour que vous quittiez Burnham Hall immédiatement.

— Mon client a à faire ici, s'écria Bugman, en
déployant ses long bras. J'insiste pour qu'il ne soit
pas chassé comme un vulgaire intrus.

— Ah ! Bugman ! lança M. Cavidor avec mépris.
J'aurais dû m'attendre à vous trouver ici. Vous avez
toujours eu un goût particulier pour plaider les causes
perdues.

— Diable ! Monsieur, vous pouvez persifler sur
les causes perdues, je m'en fiche pas mal ! hurla Harry
Walker. Vous y allez un peu fort, Cavidor. Retenez
ceci : quand l'argent m'appartiendra, Bugman aura
mes affaires à gérer. Ce seront quelques pièces de
monnaie qui vous passeront sous le nez, n'est-ce pas ?
Filez Cavidor ! Filez avant que vous et votre laquais,
vous ne soyez jetés hors de cette maison pour toujours !

Dans son excitation, il fit tomber sa bouteille de
brandy dont le liquide s'étala sur le précieux tapis.

— Ce laquais, comme vous l'appelez, est l'héritier
de Worthington, monsieur ! Un *gentleman* tout à fait
capable de vous jeter dehors de ses propres mains,
vous et Bugman.

Et, en effet, John, comme s'il trouvait la chose
évidente, fit deux pas en avant vers Harry Walker et
du bout de sa cravache lui administra quelques coups
sur les jambes. Walker recula, le visage congestionné.

— Et sur quelle base fonde-t-il sa revendication ?
demanda Harry Walker.

— Sur le fait qu'il est le neveu du dernier duc,

répondit M. Cavidor avec fermeté. Il a tardé à revendiquer ses droits, pour des considérations morales que
vous ne pourriez certainement pas comprendre, monsieur. Mais, enfin, il a fait sa demande. Ses droits sont
indiscutables. Un juge ne sera même pas nécessaire
pour les reconnaître.

Le soulagement de Marianna fut si grand qu'elle
ressentit le désir de rompre le silence. Mais elle ne
pouvait pas parler à John dans cette pièce.

Pressant ses mains sur sa bouche, elle courut vers
la porte, descendit les escaliers et entra dans la bibliothèque. S'agenouillant sur le tapis, en face du fauteuil
favori de son père, elle enfouit sa tête dans le coussin.
Jamais, elle ne s'était sentie aussi solitaire. Si seulement elle pouvait se retrouver dans les bras de John !

Et soudain, elle se trouva étroitement enlacée.
Tournant la tête, elle vit le visage aimé tout près du
sien. Avec gentillesse, il l'aida à se redresser, et la tint
pressée contre lui, son souffle chaud sur sa joue.

— Mais pourquoi êtes-vous venu ? s'écria-t-elle.
Si c'est par pitié !

— Par pitié ? murmura-t-il. Qu'est-ce que la pitié
vient faire entre nous, ma chérie ?

— Quelle autre raison pourriez-vous avoir ?
demanda-t-elle en rejetant sa tête en arrière jusqu'à ce
que leurs yeux se rencontrent. Vous ne désiriez pas
l'héritage. Vous avez dit que ce serait un poids pour
vous.

— C'eût été un poids pour moi quand je pensais
que vous ne pourriez pas m'aimer, répondit-il, autrement que comme une sœur. Jusqu'à l'arrivée de la lettre de mademoiselle Dulford, j'ai cru que c'était le
seul sentiment que vous éprouviez pour moi.

— Que vous a-t-elle dit ? s'écria Marianna, en se serrant étroitement contre lui, son cœur battant contre le sien.

— Seulement qu'il se pourrait que vous teniez à moi !

— Elle n'en avait pas le droit !

— Elle avait le droit de la sagesse et de l'expérience, lui dit John, ses lèvres sur ses cheveux. Je vous ai aimée depuis le premier moment où je vous ai vue, Marianna. Je suis resté ici dans l'espoir que vous pourriez apprendre à m'aimer aussi. Et cependant vous me parliez toujours comme à un frère. Je croyais ne jamais pouvoir gagner votre cœur, ainsi qu'il devrait l'être. C'est pourquoi je vous ai écrit cette lettre avant de partir. J'avais peur, en restant ici après la mort de votre père, que vous acceptiez de m'épouser pour observer le vœu de mon oncle, comme la fille obéissante que vous avez toujours été... et... et... Je n'aurais jamais su pourquoi vous vouliez bien devenir ma femme. Je crois vraiment qu'aucun de nous deux n'aurait été sûr des sentiments de l'autre. Mais maintenant, ma douce, il vous appartient de dire les mots. Les direz-vous, Marianna ? Ferez-vous de moi un homme heureux pour toujours ?

Leurs mains se rejoignirent.

— Je vous aime, dit-elle simplement.

Et tandis qu'ils se rapprochaient l'un de l'autre, elle comprit que la vie venait seulement de commencer.

FIN

Ce mois-ci, vous lirez dans nos collections :

Achevé d'imprimer
le 21 juillet 1982
sur les presses
de l'imprimerie Cino del Duca,
18, rue de Folin, à Biarritz.
N° 188.

Dépôt légal n° 485.   Août 1982.